D0547756

Kontakte

A combined BBC Television and Radio course
for beginners in German

BOOK THREE   PROGRAMMES 21–25

*German language adviser and television
reading texts:* CORINNA SCHNABEL

Language teaching adviser:
ANTONY PECK   Language Materials
Development Unit, University of York.

Producers:
Television MADDALENA FAGANDINI
Radio IRIS SPRANKLING

Executive producers for the series:
Television SHEILA INNES
Radio EDITH R. BAER

British Broadcasting Corporation

25 pairs of programmes on BBC Television and Radio, first broadcast
from October 1974.

An LP record, or tape cassette, accompanies each book of this series,
and can be obtained through booksellers or direct from
BBC Publications, 35 Marylebone High Street, London W1M 4AĂ.

Teacher's notes and colour filmstrips are also available from the above
address.

Published to accompany a series of programmes
prepared in consultation with the BBC Continuing Education
Advisory Council.

First published 1975. Reprinted 1977, 1978, 1979, 1980
Published by the British Broadcasting Corporation,
35 Marylebone High Street, London W1M 4AA

This book is set in Monophoto 9/11 pt Univers Medium
Printed in England by Lowe and Brydone Printers Ltd.,
Thetford, Norfolk
ISBN: 0 563 10865 7

Contents

Acknowledgment is due to the following for permission to reproduce photographs:

FREIBALLONSPORTVEREIN MÜNSTER page 55 (photo by Heggemann); WERBE-UND VERKEHRSAMT DER STADT MÜNSTER page 17 (photos by Manfred Lott); WESTFÄLISCHE NACHRICHTEN pages 16 and 57 (photos by R. Krause).

Special photography for *Kontakte* by Carol Wiseman.

Drawings by David Brown.

Introduction

Kontakte is for adult beginners in German, designed to teach the language of daily life and direct personal relations. The course consists of 25 programmes on radio, 25 programmes on television, 3 books and 3 LP records (or tape cassettes). The programmes on radio and television, which are broadcast in parallel each week, have been designed to reinforce and complement each other and the teaching material offered in any one week's broadcasts is combined into a single book chapter. Book 3 and Record or Cassette 3 cover programmes 21–25. For class use there are also Notes for Teachers and colour filmstrips. (See page 2.)

So far, *Kontakte* has tried to help you to cope with the basic business of communication in everyday situations. Now it's time to make friends and get to know people. In programmes 21–25 we are introducing social language, the language which will enable you to make real contact. The language has been graded according to social criteria. In programme 21 you will learn how to exchange the most basic information, for instance names, addresses, telephone numbers, whether you are married and have children, and what your job is. In succeeding programmes we help you to get to know people more closely and exchange information about such topics as holidays, hobbies, working conditions, salaries, homes, rent.

In these last five programmes, the distinction we have made up till now between the language you will need to be able to speak and the language you will only need to understand is not so clearly drawn. When talking to people in a social context, you will want to exchange information, so you will need to be able to answer questions as well as ask them. Some basic questions and answers in each area of conversation are listed in each chapter under the heading *Überblick.*

Once again we have filmed and recorded ordinary people in Germany talking about themselves. We have talked to them in their homes, at work and on holiday, and we have based our teaching on what they have said. We have also made more extended interviews and documentary films about individual people and so tried to give you a broader picture of life in West Germany. These sections of the programmes are for comprehension only, but they include much of the language we hope you will learn to use yourself and so provide you with the possibility of extending your knowledge of vocabulary and expression.

The programmes

On both radio and television you will hear the conversations we recorded in Germany. The language will be exploited in the studio and where necessary explained, and there will be opportunity for practice. Each programme will include a section for comprehension only—for your enjoyment and general understanding.

The book

At the beginning of each chapter you will find a selection of the recorded dialogues used in the broadcasts. They are numbered for easy reference should you wish to follow them with the radio broadcasts. When you come to working with the book, read these dialogues carefully, paying particular attention to the part you wish to speak yourself. Read this part several times aloud until you feel you could speak it without looking at the book. When it comes to giving personal information, as soon as you feel you can, adapt the printed dialogues to your own needs.

The dialogues are followed by a summary of the questions and basic answers you may want to use yourself, and by a variety of exercises. All the exercises can be practised by one person alone, but if you know someone who is also following the course, take turns at asking or answering the questions.

The printed reading texts *Lesen und Verstehen* are based on the comprehension sections in the television programmes. They contain more extended interviews linked by narrative to give you the background. The printed radio interviews *Hören und Verstehen* are for listening comprehension and you will be able to follow the texts as they are broadcast. The questions in English at the beginning of all the comprehension passages are not an exercise; they have been designed to help you to understand.

All the vocabulary in the teaching sections and exercises has been included in the glossary at the back of the book. The comprehension sections are not meant to be translated, so for these we have only provided a brief key to help you with the more difficult passages.

Finally, we have included in this book suggestions for revision exercises based on material and photographs collected in Germany, and a selection of additional interviews for further reading. The revision exercises are mainly concerned with the language you have learnt in Chapters 1–20 (Books 1 and 2). The interviews have been chosen because of some interesting aspect of the particular individuals. You may well see or hear some of these people in the programmes, but there would not be enough time to include them all and we felt it a pity not to offer them at least in print. The facts, figures and prices quoted in this book relate to conditions in Germany at the time of first printing in 1975.

The record

Records and tape cassettes 1 and 2 contain specially written material for pronunciation and speaking practice and for comprehension. With Record 3 you can listen to ordinary people talking in their own individual ways. It includes a selection of *Hören und Verstehen* interviews from the entire course, together with some of the interviews printed in the *Lesen Sie weiter!* section of Book 3.

How to use the course

The various elements of *Kontakte* allow for entirely flexible methods of preparation and practice, depending on what you feel are your own requirements. You may prefer to prepare for each programme beforehand with the book. Or you might start with the broadcasts and then use the book and the record for further practice. Whenever possible, complete your week's work with the repeats of the programmes.

Gute Kontakte!

About yourself

1   *Hartmut Moritz lives in Münster. He is married and has a 4-year old son.*

Dieter	Wie ist Ihr Name, bitte?
Herr Moritz	Ich heisse Hartmut Moritz.
Dieter	Herr Moritz, wie alt sind Sie?
Herr Moritz	Ich bin 32 Jahre.
Dieter	Und wo wohnen Sie?
Herr Moritz	Ich wohne in Münster in Westfalen.
Dieter	Wohnen Sie gerne dort?
Herr Moritz	Ja, ich wohne sehr gerne in Münster.
Dieter	Wie lange wohnen Sie schon in Münster?
Herr Moritz	Nun, ich wohne etwa schon zehn Jahre in Münster.
Dieter	Sind Sie verheiratet?
Herr Moritz	Ja, ich bin verheiratet.
Dieter	Haben Sie Kinder, Herr Moritz?
Herr Moritz	Ich habe einen Sohn, der 4 Jahre alt ist. Er geht in den Kindergarten.
Dieter	Herr Moritz, was sind Sie von Beruf?
Herr Moritz	Ich bin Beamter beim Land Nordrhein-Westfalen.
Dieter	Und wo arbeiten Sie?
Herr Moritz	Ich arbeite bei dem Regierungspräsidenten in Münster.
Dieter	Wie lange arbeiten Sie schon da?
Herr Moritz	Seit etwa zehn Jahren.
Dieter	Wann fangen Sie morgens mit der Arbeit an?
Herr Moritz	Wir beginnen morgens um halb acht.
Dieter	Wann haben Sie Feierabend?
Herr Moritz	Feierabend habe ich um 16 Uhr.
Dieter	Wann müssen Sie morgens aufstehen?
Herr Moritz	Ich stehe um halb sieben auf.
Dieter	Was essen Sie zum Frühstück?
Herr Moritz	Zum Frühstück esse ich Brote mit Kaffee.
Dieter	Und wer bereitet das Frühstück zu?
Herr Moritz	Das bereite ich selber. Meine Frau schläft noch!

wie lange wohnen Sie schon in Münster?	how long have you been living in Münster?
seit etwa zehn Jahren	for about 10 years
wann haben Sie Feierabend?	when do you finish work?
wer bereitet das Frühstück zu?	who gets breakfast?

2   *Dorothea Fiek lives in Berlin. She is a widow.*

Corinna	Wie ist Ihr Name?
Frau Fiek	Dorothea Fiek.
Corinna	Frau Fiek, wo wohnen Sie?
Frau Fiek	In Berlin.
Corinna	Wie ist Ihre Adresse?
Frau Fiek	Berlin 33, Hamselstrasse 22.
Corinna	Haben Sie Telefon?
Frau Fiek	Ja, 82 13 23.
Corinna	Leben Sie gern in Berlin?
Frau Fiek	Jawohl.
Corinna	Wie lange wohnen Sie schon in Berlin?
Frau Fiek	Na, dreissig Jahre wohne ich schon in Berlin.
Corinna	Sind Sie verheiratet?
Frau Fick	Ich bin verwitwet.
Corinna	Haben Sie Kinder?
Frau Fiek	Einen Sohn.
Corinna	Wie alt ist Ihr Sohn?
Frau Fiek	Mein Sohn ist 19 Jahre.
Corinna	Wie heisst Ihr Sohn?
Frau Fiek	Thomas Fiek.
Corinna	Arbeiten Sie, Frau Fiek?
Frau Fiek	Nein, nicht mehr.
Corinna	Was machen Sie so den ganzen Tag?
Frau Fiek	Ich bin jetzt Hausfrau, ich schwimme viel, ich gehe spazieren, ich lege mich in die Sonne und mache meine Hauswirtschaft.

ich lege mich in die Sonne   I lie in the sun

3   *Heinz Baginski and his wife live in Niendorf on the Baltic. They have no children.*

Corinna	Wie ist Ihr Name, bitte?
Herr Baginski	Ich heisse Heinz Baginski.
Corinna	Herr Baginski, wo wohnen Sie?
Herr Baginski	Ich wohne in Niendorf an der Ostsee.
Corinna	Was sind Sie von Beruf?
Herr Baginski	Verwaltungsangestellter.
Corinna	Sind Sie verheiratet?
Herr Baginski	Ja, ich bin verheiratet.
Corinna	Haben Sie Kinder?
Herr Baginski	Nein, wir sind kinderlos.
Corinna	Wann müssen Sie morgens aufstehen?
Herr Baginski	Ich muss um halb sechs aufstehen.
Corinna	Und wann müssen Sie im Büro sein?
Herr Baginski	Ich muss um 8 Uhr im Büro sein.
Corinna	Wann haben Sie Feierabend?
Herr Baginski	Ich habe Feierabend um 17 Uhr.
Corinna	Gefällt Ihnen Ihre Arbeit?
Herr Baginski	Ja, sie gefällt mir sehr.

Wie ist Ihr Name?

Dorothea Fiek
Ich heisse Hartmut Moritz
Mein Name ist Karlheinz Stahl, und das ist meine Frau, Elisabeth

Wo wohnen Sie?

In Berlin

Ich wohne	in Düsseldorf
Wir wohnen	in Münster in Westfalen
	in Münster in der Sentruper Strasse
	in Emsdetten bei Münster

Wie ist Ihre Adresse?

Die	Adresse ist	Boeselagerstrasse 2
Meine		Travemünde, Mühlenweg 75

Wie lange wohnen Sie schon in . . . ?

28 Jahre

Ich wohne	schon	1 Jahr	in . . .
Wir wohnen		10 Jahre	

Haben Sie Telefon?

Ja, ich habe Telefon
Nein, ich habe kein Telefon

Wie ist Ihre Nummer?

39475   (drei, neun, vier, sieben, fünf)
43 68 04   (dreiundvierzig, achtundsechzig, null, vier)

Die	
Meine	Nummer ist 80 51 21, Vorwahl 04603
Unsere	

Telephone numbers are sometimes spoken singly and sometimes in pairs.

Sind Sie verheiratet?

Ja, ich bin verheiratet
Nein, ich bin nicht verheiratet

	verlobt
Ich bin	ledig
	geschieden
	verwitwet

Haben Sie Kinder?

	ich habe	ein Baby			Kinder
Ja,	ich habe	ein Kind		Ich habe	Kinder
	wir haben	einen Sohn		Wir haben	zwei Söhne
		eine Tochter			Töchter

Ja, | ich habe / wir haben | ein Baby / ein Kind / einen Sohn / eine Tochter

Ich habe / Wir haben | zwei | Kinder / Söhne / Töchter

	ich habe	
Nein,	ich habe	keine Kinder
	wir haben	

Ich bin / Wir sind | kinderlos

Wie alt ist	das Baby?
	Ihr Sohn?
	Ihre Tochter?

Wie alt sind	**Sie?**
	Ihre Kinder?
	sie?

Es		8 Monate	
Er	ist	3 Jahre	alt
Sie		19 Jahre	

Ich bin 32 | Jahre alt
Sie sind 12 und 15 | Jahre alt

Wie heisst	**Ihr Sohn?**
	Ihre Tochter?

Wie heissen Ihre Kinder?

Er	heisst	Thomas
Sie		Petra

Sie heissen Annette und Dirk

Was sind Sie von Beruf?

Ich bin	Beamter, Beamtin
	Sekretärin
	Kaufmann
	Hausfrau
	Student, Studentin

*For more occupations
see page 30*

Wann fangen Sie morgens (mit der Arbeit) an?

Um	halb acht
	8 Uhr

Ich fange morgens um 9 Uhr an

Wann müssen Sie	im Büro	sein?
	im Geschäft	
	in der Universität	

Um	halb acht
	8 Uhr

Ich muss um 8 Uhr	im Büro	sein
	im Geschäft	
	in der Universität	

Wann haben Sie Feierabend?

Um 16 Uhr
Zwischen 5 und 6 Uhr
Ich habe um 17 Uhr Feierabend

Übungen

1 These people are listed as in a telephone directory. How would they answer the following questions?

Wie ist Ihr Name?
Wie ist Ihre Adresse?
Haben Sie Telefon?
Wie ist Ihre Nummer?
Was sind Sie von Beruf?

Berghof Dietrich Schuhmacher Körnerstr. 15	88 67 01	Berkefeld Ilse Sekr. Wilmersdorfweg 28	66 46 51
Bergholz Hildegard Journalistin Tulpenweg 8	31 48 37	Berkelmann Ingrid Telefonistin Richard Wagner Str. 22	86 16 90
Bergmann Christa Lehrerin Rosenbergstr. 33	55 30 02	Berlich Margarete Kosmetikerin Nobelring 44	44 33 54
Bergmeier Hermann Bank Dir. Lindenallee 6	81 49 55	Berndt Otto Zahnarzt Bahnhofstr. 17	83 44 91
Bergmeister Gerhard Architekt Hasenwinkel 12	61 30 76	Bernhardt Karl-Heinz Polizeibeamter Koppelweg 5	21 69 58
Bergner Friedrich Solocellist Goetheplatz 2	31 42 95	Bernstein Gisela Photographin Steinbergstr. 9	42 92 37

2 Here are the details of two applicants for a job:

Name:	Willi Runge	Ulla Grubmeyer
Adresse:	Augsburg, Stegelstrasse 76	Frankfurt, Steinweg 14
Tel.:	74283	489431
Beruf:	Postbeamter	Hausfrau
Alter:	32	39
Familienstand:	verheiratet	geschieden
Kinder:	2 Töchter	1 Sohn
Alter der Kinder:	3 und 5 Jahre	16 Jahre

a Now imagine you are interviewing these people in person and ask the appropriate questions e.g. **Wie ist Ihr Name?**

b Take the role of each applicant and answer the questions as completely as possible e.g. **Mein Name ist** . . . or **Ich heisse** . . .

c Answer the questions as they apply to you. If you are working with someone else ask each other.

3 Wie heissen Sie? Read this conversation aloud:

Interviewer	Wie heissen Sie?
Herr Fischer	Ich heisse *Wolfgang Fischer.*
Interviewer	Und wo wohnen Sie?
Herr Fischer	Ich wohne in *Stuttgart.*
Interviewer	Wie lange wohnen Sie schon in *Stuttgart?*
Herr Fischer	Ich wohne schon *vier* Jahre in *Stuttgart.*
Interviewer	Was sind Sie von Beruf?
Herr Fischer	Ich bin *Lehrer.*
Interviewer	Sind Sie verheiratet?
Herr Fischer	*Ja,* ich bin *verheiratet.*
Interviewer	Haben Sie Kinder?
Herr Fischer	*Ja,* ich habe *zwei Töchter.*
Interviewer	Wie *heissen Ihre Töchter?*
Herr Fischer	*Sie heissen Petra und Gisela.*
Interviewer	Und wie alt *sind sie?*
Herr Fischer	*Petra* ist *8 Jahre* alt, und *Gisela* ist *12.*

Now ask the following people the same questions and work out their answers, changing the words in italics as necessary. If there are two of you take turns at asking the questions.

a Monika Kustmann wohnt in München. Sie wohnt schon drei Jahre dort. Sie ist Hausfrau und hat ein Baby, Christoph. Christoph ist vier Monate alt.

b Paul Bergmann ist Student an der Universität in Hamburg. Er wohnt schon zweieinhalb Jahre in Hamburg. Er ist nicht verheiratet.

c Inge Schneider ist Friseuse. Sie wohnt schon dreizehn Jahre in Bonn. Sie hat eine 15-jährige Tochter, Britta, und zwei Söhne. Jörg ist 17 und Horst ist 20 Jahre alt. Frau Schneider ist verwitwet.

d Helmut Jäger ist Koch. Er wohnt schon zwanzig Jahre in Berlin. Er ist geschieden. Er hat einen Sohn, Hans. Hans ist 29 Jahre alt und wohnt in Heidelberg.

4 Ask these people what time they have to be at work and what time they finish. Work out their answers.

07	00	Peter arbeitet in einer Fabrik	15	00
08	00	Gerhard arbeitet in einem Büro	16	00
09	00	Angelika arbeitet in einem Geschäft	18	30
09	00	Martin ist Student an der Universität	17	00
08	30	Monika arbeitet in einer Bank	17	00
07	30	Horst arbeitet bei einer Tankstelle	16	30
09	00	Birgit arbeitet im Verkehrsverein	18	00
08	30	Gisela arbeitet in einer Apotheke	18	30

Auf dem Bauernhof

Who helps father when it's
harvest time?
Where does most of the milk go?
Whose name is Minna?
Does Inge help on the farm?
Who never has a day off?

Hermann Lenschow hat einen kleinen Bauernhof in Ofendorf an der Ostsee. Hier lebt er
mit seiner Frau und seinen Töchtern Inge und Heidi. Die zwei Söhne wohnen nicht mehr
zu Hause, aber sie helfen den Eltern, besonders während der Ernte.

Corinna	Hallo, Herr Lenschow, was machen Sie da?
Herr Lenschow	Ich prüfe, ob das Getreide reif ist. In acht bis vierzehn Tage ist Ernte.
Corinna	Wieviel Hektar haben Sie?
Herr Lenschow	Fünfzehn Hektar.
Corinna	Und was bauen Sie alles an?
Herr Lenschow	Hafer, Roggen, Weizen, Sommergerste.
Corinna	Haben Sie Hilfe bei der Ernte?
Herr Lenschow	Nein, ich brauche eigentlich keine Hilfe. Meine zwei Söhne helfen nachmittags.
Corinna	Und was machen Sie mit dem Getreide? Verkaufen Sie es?
Herr Lenschow	Nein, das verbrauchen wir im eigenen Betrieb. Wir füttern es an die Schweine und Kühe.

Lenschows haben dreissig Schweine und zwölf Kühe. Die tägliche Arbeit beginnt um
5 Uhr morgens im Schweinestall und am Milchstand.

Corinna	Herr Lenschow, wann stehen Sie morgens auf?
Herr Lenschow	Ich stehe Viertel vor fünf auf.
Corinna	Was machen Sie morgens als erstes?
Herr Lenschow	Mit dem Melken beginne ich. Dann füttere ich die Schweine. Dann guck' ich, ob alles in Ordnung ist. Und dann wird Kaffee getrunken: erstes Frühstück!
Corinna	Was machen Sie mit der Milch?
Herr Lenschow	Der Hauptteil geht an die Hansa Meierei hier in Lübeck. Mein Sohn Ernst ist der Milchfahrer. Er holt täglich zirka 150 Liter ab und bringt uns Sauermilch zurück und Butter, Käse, Yoghurt und Quark.

Milch ist das Hauptprodukt des Bauernhofs. Aber Lenschows trinken nicht nur ihre
eigene Milch und essen ihre eigene Butter. Sie essen auch ihr eigenes Gemüse und ihre
eigene Wurst.

Corinna	Frau Lenschow, wann frühstücken Sie?
Frau Lenschow	Das erste Frühstück ist um halb sieben und das zweite um halb zehn.

Corinna	Erzählen Sie doch mal, was es zum Frühstück gibt?
Frau Lenschow	Alles, was wir selbst produzieren. Schinken vom Schwein, und auch die Mettwurst ist von unserem Schwein; dann haben wir Leberwurst; dann unser Schmalz; dann haben wir unsere eigene Milch morgens frisch von den Kühen.
Corinna	Frau Lenschow, gehen Sie überhaupt einkaufen?
Frau Lenschow	Nein, sehr selten, weil wir ja alles selbst haben. Heute gibt es Kohl, und den hole ich aus dem Garten, und die Kartoffeln und Zwiebeln . . .

An den Kohleintopf kommt Fleisch, Kohl, Zwiebeln, Salz, Pfeffer.

Corinna	Und wie machen Sie den Eintopf?
Frau Lenschow	Ich setz Wasser auf, und wenn das Wasser kocht, kommt Fleisch 'rein: Spitzfüsse, Eisbein. Dann entblättere ich den Kohl, zerschneide ihn. Dann wird er gewaschen und in den Topf getan; dann zerschneide ich Zwiebeln; dann kommt Salz und Pfeffer dran, und dann ist er fertig.

Das Mittagessen ist nicht für die ganze Familie. Inge, die 16-jährige Tochter, ist um diese Zeit bei der Arbeit. Nur Heidi ist da. Sie ist 8 Jahre alt.

Corinna	Hilfst du deinen Eltern auf dem Hof?
Heidi	Ja, ich füttere die Hühner, die Gänse, die Enten, die Zwerghühner, und dann helfe ich auch sonst noch so mit auf dem Bauernhof.
Corinna	Wieviele Hühner habt ihr?
Heidi	Fünfzig.
Corinna	Und wieviele Kühe habt ihr?
Heidi	Zwölf.
Corinna	Wie heissen die Kühe denn?
Heidi	Heidi, wie ich; Minna, wie meine Mutter heisst; Inge, wie meine Schwester heisst.

Inge arbeitet in einem Kaufhaus. Sie kommt erst abends auf den Bauernhof zurück.

Inge	Um 18 Uhr habe ich Feierabend.
Corinna	Was machen Sie abends so?
Inge	Wenn ich von der Arbeit komme, esse ich zuerst mit meinen Eltern, dann gehe ich meistens mit meiner Freundin spazieren.
Corinna	Haben Sie ein Hobby?
Inge	Ja, ich tanze gern und höre gern Musik.
Corinna	Haben Sie einen Freund, Inge?
Inge	Ja, ich habe einen Freund. Er heisst Bernd und ist 18 Jahre alt.
Corinna	Möchten Sie lieber in der Stadt leben?
Inge	Nein, es ist viel schöner auf dem Land.
Corinna	Möchten Sie einen Landwirt heiraten?
Inge	Nein, dann muss man immer sonntags auf dem Land arbeiten und hat nie seinen freien Tag.

Was die Eltern über ihr Leben denken.

Corinna	Haben Sie ein schweres Leben?
Frau Lenschow	Schwer ist es ja immer auf dem Land, nicht? Nicht so bequem wie in der Stadt, aber ein schönes Leben ist es hier!
Herr Lenschow	Ich finde es nicht hart, das Leben. Ich möchte kein anderes Leben!

The *Münster Woche* was held for the first time in 1972 and has now become an annual event. Its purpose is to give the people of Münster and the many visitors it attracts the chance to know what really goes on in the town, and to forge closer links between them. A great many events of every kind and on every level take place: exhibitions, open days, sporting events, music, official receptions, and in the streets of Münster such things as outdoor chess, children's races, demonstrations by local clubs and societies, bands playing.

The symbol for the 1974 *Münster Woche* was the *Kiepenkerl*. *Kiepenkerle* used to come from the country with their *Kiepen* or large wicker baskets filled with country fare which they sold to the town dwellers. They then returned to the country with goods from the town. The *Kiepenkerl* symbolises an exchange between different areas of what is useful to each.

The climax of the *Münster Woche* is the *Altstadtfest*, organised simply for people to enjoy themselves. It is a day on which the whole of Münster seems to be in the streets. Dieter went to various events and here describes them.

What sort of things are sold at the *Flohmarkt*?
How do the bands play?
What refreshments can people buy at the stalls in the *Prinzipalmarkt*?
What time does the firework display start?
How does the *Altstadtfest* end?

Dieter   Wir sind hier auf der Promenade und hören eine Strassenorgel. Heute beim Altstadtfest spielt die Orgel den ganzen Tag. Das Wetter ist endlich schön, und viele Leute hören zu.

Wir sind immer noch auf der Promenade und zwar auf dem Flohmarkt. Hier dürfen keine Autos über diese Strasse fahren. Etwa 50 Stände stehen auf der Strassenseite. Männer, Frauen und auch Kinder wollen ihre alten Sachen verkaufen. Es gibt Bücher, Zeitschriften, Bilder, Schallplatten, Töpfe, Modeschmuck, Puppen, Radios, Kerzen – kurz, einfach alles.

Hier kommt jetzt ein Pferdebus.
Jede Stunde kann man eine Rundfahrt um die Altstadt machen. Die Fahrt dauert ungefähr 45 Minuten. Der Wagen ist gelb, und zwei schöne, braune Pferde ziehen ihn. Viele Kinder fahren mit. Ihnen scheint die Fahrt sehr viel Spass zu machen.

Dieter Wir sind jetzt in der Innenstadt. Hier sind heute auch die Strassen für Autos gesperrt. Es ist der erste Samstag im Monat, und die Geschäfte sind bis 18 Uhr geöffnet. Auf den Geschäftsstrassen spielen zum Altstadtfest Bands. Nicht immer schön—aber laut!

Die Big Band der Lohburg besteht aus 15 Schülern. Sie spielen Posaune, Trompete, Gitarre und Schlagzeug. Wie überall stehen auch hier sehr viele Menschen und hören der Musik zu.

Wir sind jetzt auf dem Prinzipalmarkt, der Hauptgeschäftsstrasse Münsters. Vor den alten Geschäftshäusern hängen viele bunte Fahnen. Gewöhnlich fahren hier viele Autos, aber heute ist es schwarz von Menschen. Mitten auf der Strasse sind viele Buden. Hier kaufen die Leute zum Beispiel heisse Würstchen, Pommes frites und Bier. Vor dem Rathaus ist heute auch eine Diskothek für die Jugend.

Es ist Viertel vor neun abends. Wir stehen hier auf dem Domplatz. Hunderte, nein, man kann sagen Tausende von Menschen warten auf das Feuerwerk. Es beginnt in ungefähr einer Viertelstunde.

Es ist neun Uhr, das Feuerwerk beginnt. Grüne, rote, gelbe, und blaue Kugeln schiessen in den Himmel. Die Strassenbeleuchtung ist gelöscht. Man sieht nur das Feuerwerk.

Es ist zehn Uhr. Wir stehen immer noch auf dem Domplatz, und der Dom ist in bengalisches Licht getaucht. Auch der Lambertikirchturm ist jetzt rot von innen. Durch die Fenster des Turms leuchtet das bengalische Licht, und damit ist das Altstadtfest in Münster offiziell beendet.

Münster-Woche: Altstadtfest

10.00 — 17.00 Promenade Servatii-platz/Windthorststraße: Flohmarkt
10.00 — 18.00 Windthorststraße: Straßenorgel
10.30 — 17.00 Musik-Musik-Musik: Münsterische und münster-ländische Bands und Kapellen präsentieren sich auf dem Prinzipalmarkt, in der Ludgeristraße, am Domplatz, am Lambertikirchplatz, in der Salzstraße, am Spiekerhof und am Berliner Platz
11.00 — 13.00 Kiepenkerle und Blumenhostessen sorgen für Stimmung
11.00 Regierungsvorplatz: Platzkonzert des Stadtfanfarenkorps Münster und der Musique Municipal Orléans
15.00 „Zeigt her eure Füße . . .". Pfadfinder putzen Schuhe für einen guten Zweck
15.00 Promenade Windthorststraße: Babbelplast-Tollerei
15.00 — 16.00 Binnenhof des Rathauses: Theater unter freiem Himmel (Städt. Bühnen)
16.00 — 23.00 ALTSTADTFEST auf dem für den gesamten Verkehr gesperrten Prinzipalmarkt und in den Fußgänger-straßen der Innenstadt: Folklore und Fahnenschlag, Bier und Schnaps, Bratwurst und Ochse am Spieß, Schwof und Ballerei, Tausende fröhlicher Menschen
20.30 Domplatz: Stadtfanfarenkorps und Musique Municipale aus Orléans
21.00 Domplatz: Parterre-Feuerwerk
21.20 Domplatz: Riesen-Wasserorgel der Feuerwehr Beckum
21.50 Dom in bengalischem Licht
22.00 St. Lamberti in bengalischem Licht

In Münster sind die Geschäfte des Einzelhandels am Samstag, dem 5. Oktober 1974, ganztägig bis 18.00 Uhr für den Verkauf geöffnet.

Der Prinzipalmarkt

Der Flohmarkt

22 Was machen Sie den ganzen Tag?

About your holidays and spare time

1 *Gabriela Otten is a schoolgirl. She comes from Northeim in the Harz Mountains and is on holiday in Travemünde.*

Corinna	Wie ist Ihr Name?
Gabriela	Mein Name ist Gabriela Otten.
Corinna	Woher kommen Sie?
Gabriela	Ich komme aus Northeim, und das ist im Harz.
Corinna	Wie alt sind Sie?
Gabriela	Ich bin 16 Jahre alt.
Corinna	Arbeiten Sie oder gehen Sie noch in die Schule?
Gabriela	Ich arbeite noch nicht, ich gehe noch zur Schule.
Corinna	Gehen Sie gern in die Schule?
Gabriela	Ja, ich gehe verhältnismässig gern zur Schule.
Corinna	Wie lange haben Sie Ferien?
Gabriela	Ich habe sechs Wochen Sommerferien.
Corinna	Gefällt es Ihnen hier in Travemünde?
Gabriela	Ja, es gefällt mir ziemlich gut hier in Travemünde.
Corinna	Was kann man hier so machen?
Gabriela	Man kann zum Beispiel Hochseefahrten unternehmen, man kann tanzen gehen, man kann sich ziemlich gut hier amüsieren.

noch nicht	not yet
man kann	one/you can

2 *Margaret Howe is on holiday in Travemünde with her children.*

Corinna	Frau Howe, sind Sie verheiratet?
Frau Howe	Ja, ich bin verheiratet.
Corinna	Haben Sie Kinder?
Frau Howe	Ja, ich habe auch Kinder, zwei.
Corinna	Wie heissen Ihre Kinder?
Frau Howe	Das Mädchen heisst Annette, und der Junge heisst Dirk.
Corinna	Wie alt sind Annette und Dirk?
Frau Howe	Annette ist 10 Jahre alt, und Dirk ist gestern 8 Jahre alt geworden.
Corinna	Wie lange haben Ihre Kinder Sommerferien?
Frau Howe	Die Kinder haben in Hamburg sechs Wochen Sommerferien.
Corinna	Fahren Sie immer nach Travemünde?
Frau Howe	Ja, wir fahren immer nach Travemünde, denn wir haben hier eine Wohnung.
Corinna	Wie lange sind Sie schon hier?
Frau Howe	Wir sind jetzt fünf Wochen hier.
Corinna	Und wann fahren Sie wieder nach Hause?
Frau Howe	In einer Woche.
Corinna	Was kann man hier so machen?
Frau Howe	O, man kann hier allerhand Sport treiben, man kann schwimmen, und

	man kann reiten, und man kann Tennis spielen und segeln, und dann
	kann man herrliche Spaziergänge machen.
Corinna	Was machen Ihre Kinder den ganzen Tag?
Frau Howe	Ja, wenn das Wetter schön ist, gehen sie an den Strand und spielen da und schwimmen und angeln. Wenn das Wetter schlecht ist, ja dann spielen sie hier in unserem Garten.

ist gestern 8 Jahre alt geworden   was 8 years old yesterday

Roswitha Völlering and her husband both work. They have eighteen days holiday a year.

Dieter	Frau Völlering, wie alt sind Sie?
Frau Völlering	19 Jahre.
Dieter	Und woher kommen Sie?
Frau Völlering	Aus Münster.
Dieter	Sind Sie verheiratet?
Frau Völlering	Ja.
Dieter	Haben Sie Kinder?
Frau Völlering	Nein, ich habe keine Kinder.
Dieter	Was sind Sie von Beruf?
Frau Völlering	Ich bin Angestellte.
Dieter	Und wann fangen Sie morgens mit der Arbeit an?
Frau Völlering	Um 7.30 Uhr.
Dieter	Wann haben Sie Feierabend?
Frau Völlering	Um 16 Uhr.
Dieter	Arbeitet Ihr Mann auch?
Frau Völlering	Ja, mein Mann arbeitet auch.
Dieter	Und was macht er?
Frau Völlering	Mein Mann ist Elektroinstallateur.
Dieter	Was machen Sie abends? Haben Sie ein Hobby?
Frau Völlering	Zunächst essen wir warm, und dann gehen wir schwimmen oder sehen fern.
Dieter	Wieviel Urlaub haben Sie im Jahr?
Frau Völlering	Achtzehn Tage.
Dieter	Und was machen Sie dann?
Frau Völlering	Wir fahren an die See oder in die Alpen.

zunächst essen wir warm   first we have a hot meal

Gabi Droste and her husband spend their late summer holiday by the North Sea.

Dieter	Frau Droste, sind Sie verheiratet?
Frau Droste	Ja, ich bin glücklich verheiratet.
Dieter	Haben Sie Kinder?
Frau Droste	Wir haben zwei Töchter.
Dieter	Wie alt sind sie?
Frau Droste	19 und 20 Jahre alt.
Dieter	Wohnen die Töchter noch zu Hause?
Frau Droste	Eine Tochter wohnt bei uns und studiert hier in Münster Germanistik. Unsere jüngste, 19-jährige Tochter studiert in Berlin Bauingenieurwesen und Statik.
Dieter	Was ist Ihr Mann von Beruf?

Frau Droste	Mein Mann ist freischaffender Architekt.
Dieter	Und wann geht er morgens zur Arbeit?
Frau Droste	Er fährt schon um 7 aus dem Haus.
Dieter	Wann hat er Feierabend?
Frau Droste	Es ist ganz unterschiedlich in seinem Beruf. Er kommt oft erst um 20 Uhr nach Hause, oder es kann auch viel später werden.
Dieter	Wieviel Urlaub macht Ihr Mann im Jahr?
Frau Droste	Mein Mann macht im Jahr vier Wochen Urlaub. Vierzehn Tage fährt er zum Skilaufen nach Österreich, und im Spätsommer machen wir einen gemeinsamen Urlaub an der Nordsee.
Dieter	Und was machen Sie dann?
Frau Droste	Wir wandern viel und schwimmen und tanzen auch viel.

Überblick

Woher kommen Sie?

Ich komme	aus	Leipzig
Wir kommen		Berlin
		Spanien
		Süddeutschland, aus Karlsruhe

Wieviel Urlaub haben Sie?

Ich habe 4 Wochen Urlaub im Jahr
Ich habe im Jahr 23 Arbeitstage Urlaub

Wie lange haben	**Sie**	**Ferien?***
	Ihre Kinder	

Ich habe	6 Wochen Sommerferien
Die Kinder haben	

Wohin fahren Sie?

Ich fahre	an die See
Wir fahren	in die Berge
	nach Travemünde, Berlin, Rom
	nach Österreich, Holland, Spanien, Italien
	in die Schweiz

***Ferien** is always used for school and university holidays e.g. **Sommerferien, Semesterferien.**

Was machen Sie | da, hier ?
| den ganzen Tag ?
| in Ihrer Freizeit ?
| abends, am Wochenende ?

Ich spiele | Tennis
Wir spielen | Golf
| Schach
| Klavier
| Gitarre
| am Strand

Ich schwimme, reite, wandere, angele, segele, kegele
Wir schwimmen, reiten, wandern, angeln, segeln, kegeln

Ich laufe | Ski
Wir laufen |

Ich gehe | spazieren
Wir gehen | tanzen
| ins Kino

Übungen

1 *Frage*   *Antwort*

Frage	*Antwort*
Woher kommen Sie?	Ich komme aus Bremen.
Wieviel Urlaub haben Sie im Jahr?	Ich habe drei Wochen Urlaub im Jahr.
Wohin fahren Sie?	Ich fahre an den Bodensee.
Was machen Sie da?	Ich schwimme und segele viel.

How would the following people answer the same questions?

Herr Seeger
wohnt in Berlin

Bettina Bauer
wohnt in
Dortmund

Herr und Frau
Dehmel wohnen
in Helmstedt

Die Familie
Wagner wohnt
in Osnabrück

Kurt Hartmann
wohnt in
Wiesbaden

2 Wieviel Urlaub haben Sie?

Here is some more information about the four people introduced on page 13.

a Herr Kustmann hat drei Wochen Urlaub im Jahr. Er fährt gern mit seiner Frau und seinem Kind in den Schwarzwald. Sie gehen spazieren und spielen manchmal Tennis.

b Paul Bergmann hat im Sommer drei Monate Semesterferien. Er arbeitet zwei Monate in einer Transportfirma und fährt dann vier Wochen nach Italien. Er schwimmt viel und liegt in der Sonne. Manchmal geht er auch ins Museum oder in die Oper.

c Frau Schneider hat fünfzehn Arbeitstage Urlaub im Jahr. Sie fährt jedes Jahr mit ihrer Tochter nach Travemünde. Sie wohnen dort in einer kleinen Pension. Sie schwimmen und kegeln und gehen ins Kino.

d Herr Jäger hat drei Wochen Urlaub im Jahr. Er besucht seinen Sohn in Heidelberg. Er spielt gern mit seiner Enkeltochter.

Now look at the **Überblick** for this chapter. What further questions can you ask Frau Kustmann, Paul Bergmann, Frau Schneider and Herr Jäger, and how would they answer?

3 Was machen Sie in Ihrer Freizeit?

For other possible answers look at Book 2, Chapter 17.

4 Woher kommen Sie?
Ich komme aus . . .
Da bin ich Friseur.
Und arbeite sehr . . .

Wie wohnen Sie denn?
Ich habe ein . . .
Und auch eine Frau.
Und mein Sohn, der heisst . . .

Er geht in die Schule
Spielt Fussball, trinkt . . .
Jeden Tag eine Stunde
Von halb drei bis halb . . .

Kinderland

Who thinks there are no women
on Mars?
Who eat a lot for breakfast?
How many hours a day does an
'Indian' have to work?
Do you think 50 DM is a lot
of money?
And who pays for everything?

An der Lübecker Bucht gibt es einen Vergnügungspark für Kinder—ein Mini Disneyland. Im Sommer kommen die Busse von überall her: 150 000 Besucher pro Tag.

Was kann man im Kinderland machen?

Der PR Mann sagt: 'Die Kinder können im Kinderland sehr viel tun: mit dem Zug fahren, spielen, Gold waschen. Sie können einen Führerschein in der Verkehrsschule machen oder auf Safari gehen; oder auch mit Kanalbooten durch die ganze Welt fahren.'

Die Spielzeugwelt ist aus 280 000 000 Bausteinen gebaut. Beatrix, Georg und Dirk gucken sich die *Stadt 2000* an:

Beatrix	Das ist eine Mars-Stadt!
Corinna	Gibt es Menschen in der Stadt?
Beatrix	Ja, ja, ganz kleine Menschen.
Corinna	Gibt es da auch Kinder?
Beatrix	Kinder? Ja, aber eine Schule kann ich mir da nicht vorstellen.
Corinna	Gehen die Kinder auf dem Mars nicht in die Schule?
Georg	Doch.
Corinna	Wie stellst du dir die Schule vor? Wie sind die Lehrer?
Georg	Vielleicht besser.
Corinna	Wieso besser?
Georg	Vielleicht haben sie mehr Zeit!
Corinna	Dirk, gibt es auf dem Mars Kinder?
Dirk	Ich glaube nicht!
Corinna	Warum nicht? Wollen die Marsfrauen keine Kinder?
Dirk	Ich glaube, dass es keine Frauen gibt!

Isabel, Petra und Thomas stehen vor dem Modell einer englischen Stadt:

Corinna	Könnte das London sein?
Isabel	Nee, London ist viel grösser!
Corinna	Habt ihr eine Idee, wie London aussieht?
Isabel	Viele Häuser dicht aneinander, glaub' ich, und auch ganz schön gross und mit vielen Leuten.
Corinna	Und wie sind die Engländer?
Thomas	Ja, ich kenne zwei Engländer, die sind sehr nett.
Corinna	Habt ihr noch nie über England gelesen oder gehört?
Isabel	Ja, doch, wie sie essen . . . dass sie anders essen als wir.

Petra	Die tun Milch in den Tee, und ausserdem essen sie morgens immer ganz viel und mittags essen sie dafür weniger und abends essen sie wieder viel.
Corinna	Und was essen die Engländer?
Isabel	Morgens Rührei . . .
Thomas	Ei im Glas und Toast meistens. Die meisten rauchen Pfeife.
Corinna	Und was wisst ihr noch über England?
Isabel	Na ja, dass da eine Königin ist . . . wir haben ja keine . . . die Königin Elisabeth, die wohnt in so einem Schloss.
Corinna	Möchtet ihr gern eine Königin haben?
Isabel	Nee, die hat dann immer zu bestimmen, und das ist eigentlich auch nicht so gut.

Im Indianerlager arbeiten Studenten als Indianer.

Corinna	Was machen die Kinder hier bei Ihnen?
Student	Die Kinder rösten Brötchen am Feuer und kaufen sich Federn.
Corinna	Was verdient ein Indianer?
Student	O, ich verdiene 6,50 DM in der Stunde.
Corinna	Wieviele Stunden pro Tag sind Sie hier Indianer?
Student	Elf Stunden.
Corinna	Haben Sie noch einen anderen Beruf?
Student	Ja, ich bin Student der Betriebswirtschaft.
Scheriff	Ich verkaufe hier an die Kinder diese Urkunde mit einem Scheriffstern.
Corinna	Wieviele Scheriffsterne verkaufen Sie pro Tag?
Scheriff	Ja, 350 bis 450.
Corinna	Scheriff, ist das Kinderland nicht ein teurer Spass?
Scheriff	Ja, wenn man alles mitmachen will, wird es teuer!

Was die Eltern über das Kinderland denken:

Corinna	Wie war es im Kinderland?
Ein Vater	Sehr schön!
Corinna	Haben Sie viel Geld ausgegeben?
Ein Vater	Was heisst viel! Vielleicht zirka 50 DM.
Corinna	Und wie gefällt Ihnen das Kinderland?
Eine Mutter	Ja, es ist alles so teuer! Wenn eine Familie mehrere Kinder hat, die kann sich das gar nicht leisten. Ich habe mit meinen Kindern 60 DM ausgegeben.
Corinna	Wieviele Stunden waren Sie im Kinderland?
Eine Mutter	Ja, zirka sieben Stunden.

Und ein kleines Mädchen:

Corinna	Wieviel Geld hast du ausgegeben?
Mädchen	Ich hab' gar nichts ausgegeben.
Corinna	Wer hat dir denn das Geld gegeben?
Mädchen	Die Mama!

Hans-Dieter Hillmoth, Horst Vorderwülbecke and Heinz-Dieter Darpe are members of the *Krankenhausfunk* at the *Evangelisches Krankenhaus* in Münster. This is a group of young people who spend much of their spare time making radio programmes for the patients in hospital there.

On Saturday evenings there is a record request programme.

Hans-Dieter   Samstagabend, 18 Uhr. Hier ist der KHF, der Krankenhausfunk am Evangelischen Krankenhaus, heute mit seinem Wunschkonzert. Heute im Studio, Horst Vorderwülbecke, Heinz-Dieter Darpe und Hans-Dieter Hillmoth. Und ich darf Sie, meine Damen und Herren, recht herzlich zum Programm des Krankenhausfunkes begrüssen, und hier ist schon der erste Wunsch für Frau Rüther auf dem Zimmer 274, die Hot Dogs aus München mit *Eh-La-Bas*.

Horst Vorderwülbecke presents and compiles programmes.

Dieter   Wie ist Ihr Name?
Horst   Mein Name ist Horst Vorderwülbecke.
Dieter   Und wie alt sind Sie?
Horst   Ich bin 20 Jahre alt.
Dieter   Was sind Sie von Beruf?
Horst   Von Beruf bin ich Student.
Dieter   Und was studieren Sie?
Horst   Ich studiere in Aachen Bauingenieurwesen.
Dieter   Arbeiten Sie gerne beim Krankenhausfunk?
Horst   Sehr gerne.
Dieter   Wie lange machen Sie das schon?
Horst   Ich bin seit dem Anfang dabei, das heisst seit vier Jahren.
Dieter   Und welche Aufgaben haben Sie?
Horst   Meine Aufgaben sind zu sprechen und eine Sendung zusammenzustellen.

Heinz-Dieter Darpe is more interested in the technical side.

Dieter   Wie ist Ihr Name, bitte?
Heinz-Dieter   Ich heisse Heinz-Dieter Darpe.
Dieter   Wie alt sind Sie?
Heinz-Dieter   Ich bin 19 Jahre alt.
Dieter   Was sind Sie von Beruf?
Heinz-Dieter   Ich bin Schüler.
Dieter   Was machen Sie besonders gerne beim Krankenhausfunk?
Heinz-Dieter   Ich mache in der Hauptsache die Technik, das heisst, ich lege die Platten auf, lege die Bänder auf und bin am Mischpult tätig.

Dieter asked Hans-Dieter Hillmoth more about the *Krankenhausfunk*.

How old are the members
of the *Krankenhausfunk*?
How long has it been in
existence?
What sort of programmes
do they make?
Who has taken part in
their programmes?
What equipment have
they got?

Dieter	Wie ist Ihr Name, bitte?
Hans-Dieter	Mein Name ist Hans-Dieter Hillmoth.
Dieter	Herr Hillmoth, was ist der Krankenhausfunk?
Hans-Dieter	Wir sind eine Gruppe von dreizehn Jugendlichen, die hier am Krankenhaus Sendungen für die Patienten produzieren.
Dieter	Wie alt sind die Mitglieder?
Hans-Dieter	Alle Mitglieder des Krankenhausfunkes sind zwischen 15 und 21 Jahren alt.
Dieter	Wie lange machen Sie das schon?
Hans-Dieter	Wir machen das ja nun seit fast vier Jahren.
Dieter	Wie oft senden Sie?
Hans-Dieter	Wir senden dreimal in der Woche. Die Kindersendung besteht aus Märchen, Hörspielen und Musik, in der Wunschkonzertsendung spielen wir, was sich die Kranken hier im Krankenhaus gewünscht haben, und in der Magazinsendung können die Patienten Interviews, Musik, Reportagen und Information hören.
Dieter	Wer ist schon alles in Ihrem Programm gewesen?
Hans-Dieter	In unserem Programm waren zum Beispiel der Bundespräsident Heinemann, der Springweltmeister Hartwig Steenken, der Jazz Musiker Chris Barber und die Royal Scots Dragoon Guards, die früher mit ihrem Titel *Amazing Grace* bekannt geworden sind.
Dieter	Wieviel Zeit, Herr Hillmoth, verbringen Sie beim Krankenhausfunk?
Hans-Dieter	Wir verbringen zwischen sechs und acht Stunden pro Woche beim Krankenhausfunk, und wir bereiten dann die Sendungen vor, halten Kontakt zu den Patienten und produzieren die Sendungen.
Dieter	Welche Geräte haben Sie dazu?
Hans-Dieter	Zwei Mischpulte, Tonbandgeräte, Plattenspieler und natürlich zwei Mikrophone.
Dieter	Das ist doch alles sehr teuer. Woher bekommen Sie Geld?
Hans-Dieter	Wir bekommen Spenden von unseren Hörern und haben am Anfang eine Spende von der Stadt Münster bekommen.
Dieter	Was halten die Patienten und Kranken von den Sendungen?
Hans-Dieter	Wir glauben, dass die Patienten unsere Sendungen sehr gerne hören.

```
         MEIN    MUSIKWUNSCH                    (φ)
                                              KHF
ICH HABE FOLGENDE MUSIKWÜNSCHE:
titel                            orchester/interpret
1)
2)
3)
SONDERWÜNSCHE / GRÜSSE  ETC.

Dieser Wunsch wird am kommenden Samstag erfüllt!
Wunsch bitte bis spätestens 14.oo Uhr bei der Pforte
oder Stationsschwester abgeben.
```

Was sind Sie von Beruf?

About your job

1   *Johannes Herms is 64. He is a commissionaire for a large office complex*

Dieter	Wie ist Ihr Name, bitte?
Herr Herms	Mein Name ist Johannes Herms.
Dieter	Herr Herms, wie alt sind Sie?
Herr Herms	Ich bin 64 Jahre alt.
Dieter	Und wo wohnen Sie?
Herr Herms	Ich wohne in Erkrath, Kreis Düsseldorf-Mettmann.
Dieter	Herr Herms, was ist Ihre Tätigkeit?
Herr Herms	Ich bin Empfangspförtner.
Dieter	Und wann kommen Sie morgens zur Arbeit?
Herr Herms	Ich komme morgens Viertel vor sieben zur Arbeit.
Dieter	Und wann gehen Sie abends nach Hause?
Herr Herms	Ich gehe abends um Viertel nach fünf wieder.
Dieter	Herr Herms, wieviele Stunden arbeiten Sie pro Tag?
Herr Herms	Ich arbeite pro Tag zehn Stunden ausser freitags.
Dieter	Und wie lange arbeiten Sie freitags?
Herr Herms	Am Freitag arbeite ich neun Stunden.
Dieter	Wieviele Stunden arbeiten Sie in der Woche?
Herr Herms	In der Woche arbeite ich neunundvierzig Stunden.
Dieter	Herr Herms, wie lange brauchen Sie morgens zur Arbeit?
Herr Herms	Ich brauche morgens zur Arbeit zwanzig Minuten.
Dieter	Und wie kommen Sie hierher?
Herr Herms	Ich komme morgens mit einem Bus.
Dieter	Herr Herms, wie lange haben Sie Mittagspause?
Herr Herms	Ich habe eine halbe Stunde Mittagspause.
Dieter	Wo essen Sie mittags?
Herr Herms	Ich esse in der Werkskantine.
Dieter	Herr Herms, wieviel Urlaub haben Sie im Jahr?
Herr Herms	Ich habe im Jahr dreissig Tage Urlaub.
Dieter	Sind Sie verheiratet?
Herr Herms	Ja, ich bin verheiratet.
Dieter	Haben Sie Kinder?
Herr Herms	Ja, eine Tochter.
Dieter	Und ist die auch schon verheiratet?
Herr Herms	Die ist auch verheiratet.
Dieter	Und haben Sie schon ein Enkelkind?
Herr Herms	Ja, einen Enkelsohn.
Dieter	Wie alt ist er?
Herr Herms	Er ist zweieinhalb.
Dieter	Und was machen Sie in Ihrer Freizeit, Herr Herms?
Herr Herms	In meiner Freizeit habe ich recht viele Hobbies. Ich sammle Briefmarken, ich sammle Münzen, alte Postsachen und bin sehr oft draussen in der freien Natur.

recht viele Hobbies   a whole lot of hobbies

Hans-Hermann Brüning is nearly 19. He is an apprentice land surveyor

Dieter	Wie heissen Sie?
Hans-Hermann	Hans-Hermann Brüning.
Dieter	Wie alt sind Sie?
Hans-Hermann	Ich bin 18 Jahre alt und werde in zwei Wochen 19.
Dieter	Was sind Sie von Beruf?
Hans-Hermann	Ich lerne Vermessungstechniker. Ich vermesse die Landschaft und stelle daraus Karten her.
Dieter	Wie lang ist die Ausbildung?
Hans-Hermann	Zwoeinhalb Jahre.
Dieter	Und wie lange machen Sie das schon?
Hans-Hermann	Seit zwei Jahren.
Dieter	Wo machen Sie die Lehre?
Hans-Hermann	Bei einer Landesbehörde hier in Münster.
Dieter	Wieviele Lehrlinge sind dort?
Hans-Hermann	Vier Lehrlinge.
Dieter	Wieviel verdienen Sie im Monat?
Hans-Hermann	470 DM Bruttogehalt und 370 DM netto.
Dieter	Wieviel Urlaub haben Sie?
Hans-Hermann	Achtzehn Tage im Jahr.
Dieter	Wann fangen Sie morgens mit der Arbeit an?
Hans-Hermann	Um halb acht.
Dieter	Und wann haben Sie Feierabend?
Hans-Hermann	Um 4 Uhr nachmittags.
Dieter	Wieviele Tage in der Woche arbeiten Sie?
Hans-Hermann	Ich arbeite fünf Tage in der Woche.
Dieter	Und wieviele Stunden?
Hans-Hermann	Vierzig Stunden etwa.
Dieter	Haben Sie eine Kaffeepause?
Hans-Hermann	Ja, eine kurze, etwa zehn Minuten.
Dieter	Wann haben Sie Mittagspause?
Hans-Hermann	Von halb eins bis ein Uhr.
Dieter	Was essen Sie zu Mittag?
Hans-Hermann	Ich fahre mittags kurz nach Hause und esse das, was mir meine Mutter kocht.
Dieter	Was machen Sie in Ihrer Freizeit?
Hans-Hermann	Ich spiele Schach, bastele an Radios und habe eine feste Freundin— seit zwei Jahren.

und stelle Karten her   and draw up maps

Überblick

Was	sind Sie von Beruf? ist Ihre Tätigkeit?

	Angestellter	Friseur	Schuhmacher
	Apotheker	Hausmeister	Tankwart
	Architekt	Kellner	Taxifahrer
Ich bin	Arzt	Lehrer	Techniker
	Bäcker	Lehrling	Telefonist
	Bahnbeamter	Obermaschinist	Verkäufer
	Busfahrer	Postbeamter	Verwaltungsangestellter
	Empfangspförtner	Polizist	Wirtschaftsingenieur

for feminine forms, see glossary.

Wieviele	Tage arbeiten Sie in der Woche? Stunden arbeiten Sie	pro Tag? in der Woche?

Ich arbeite	5 Tage 40 Stunden	in der Woche
	8 Stunden pro Tag	

Wie kommen Sie zur Arbeit?

Ich	fahre komme	mit dem Bus mit dem Auto mit dem Fahrrad

Ich	gehe komme	zu Fuss zur Arbeit

Wann Wie lange	haben Sie Mittagspause?

Von halb eins bis ein Uhr
Ich habe eine halbe Stunde Mittagspause

Haben Sie eine	Kaffeepause? Teepause?

Ja,	eine kurze, etwa 10 Minuten wir haben morgens eine Kaffeepause die Kaffeepause ist eine Viertelstunde lang

Nein,	wir haben keine Kaffeepause eine offizielle Teepause haben wir nicht

Wieviel verdienen Sie?

Lehrling	470 DM brutto und 370 DM netto
Sekretärin	zirka 1600 DM im Monat
Angestellter	1600 DM brutto
PR	2200 DM brutto
Obermaschinist	2000 DM netto

When talking about their income people usually say how much they earn per month.

Landwirt

Konditor

Verkäufer

Schaffner

Kellner

Übungen

1 Was sind sie von Beruf?

Herr Misselhorn
ist ....

Fräulein Mech
ist ....

Herr Horst
ist ....

Herr Göllnitz
ist ....

Telefonistin
Sekretärin
Lehrer
Busfahrer
Empfangsdame
Tankwart
Arzt
Kellnerin
Apotheker
Taxifahrer

Fräulein Bergmann
ist ....

Fräulein Fuhrmann
ist ....

Herr Dr. Pape
ist ....

Herr König
ist ....

Fräulein Wolf
ist ....

Herr Dr. Kuhnast
ist ....

Sie tippt Briefe für ihren Chef	Sie ist Sekretärin.
Er hat montags keine Sprechstunde	Er ist....................................
Er verkauft Super und Normal	....
Er fährt zehnmal am Tag zum Bahnhof	....
Er hat einmal im Monat Notdienst	....
Er unterrichtet an einem Gymnasium	....
Sie sitzt den ganzen Tag am Telefon	....
Sie kann vier Teller Suppe auf einmal tragen	....
Er fährt 100 Kilometer pro Tag	....
Bei ihr kann man Zimmer bestellen	....

2 Richtig oder falsch? Some of these details about Herr Herms and Hans-Hermann Brüning are wrong. Find the correct details by referring to texts 1 and 2 at the beginning of this chapter.

Herr Herms

Herr Herms ist 64.
Er wohnt in Düsseldorf.
Er ist Vermessungstechniker
und arbeitet zehn Stunden pro Tag ausser montags.
Er fährt mit dem Auto zur Arbeit.
Er hat eine halbe Stunde Mittagspause
und im Jahr zwanzig Tage Urlaub.
Er hat einen Sohn und eine Enkeltochter.

Hans-Hermann Brüning

Hans-Hermann Brüning ist noch nicht 18 Jahre alt.
Er wohnt in Münster.
Er ist Vermessungstechniker
und arbeitet zehn Stunden pro Tag.
Er hat achtzehn Tage Urlaub im Jahr.
Er hat eine halbe Stunde Mittagspause.
Er verdient 370 DM brutto im Monat.
Er arbeitet mit drei anderen Lehrlingen zusammen.

3 Was sind Sie von Beruf?

More information about the four people introduced in the first two chapters.
Ask more questions and work out their answers:

Frau Kustmanns Mann ist Taxifahrer. Er arbeitet sechs Tage in der Woche und verdient 2.400 DM brutto im Monat. Er arbeitet zwischen acht und zehn Stunden am Tag. Er hat eine Stunde Mittagspause, aber keine Kaffeepause. Er isst mittags zu Hause.

Paul Bergmann studiert Philosophie. Montags bis freitags geht er jeden Tag zur Universität. Er fährt mit dem Fahrrad dorthin. Er muss viel arbeiten, manchmal acht Stunden am Tag, manchmal auch zwölf oder vierzehn. Meistens macht er eine Stunde Mittagspause. Er verdient natürlich nichts, aber er bekommt vom Staat monatlich 450 DM Studienbeihilfe.

Frau Schneider geht zu Fuss zur Arbeit. Sie muss morgens um 9 Uhr im Geschäft sein. Montags ist der Salon geschlossen. Dienstags bis freitags hat sie um 18.30 Uhr Feierabend. Samstags geht sie um 17 Uhr nach Hause. Sie hat von halb eins bis ein Uhr Mittagspause. Sie hat eine kurze, aber keine offizielle Kaffeepause. Sie verdient etwa 1.200 DM netto im Monat, inklusive Trinkgeld.

Herr Jäger ist Koch in einem Restaurant. Er fährt mit seinem Auto zur Arbeit. Er muss von 10 bis 14.30 Uhr und von 17.00 bis 23.00 Uhr im Restaurant sein. Er arbeitet nur vier Tage in der Woche. Er verdient monatlich 2.300 DM.

Klaus Pabich und seine Familie

Why does Klaus Pabich prefer the late shift?
When will he stop working shifts?
What does he think about while he's working?
Does he always spend his spare time with his wife?
Whose future is so important to them?

Klaus Pabich macht Glas. Er arbeitet als Obermaschinist in einer Glashütte in Gerresheim. Es ist ein grosses Werk mit 3000 Arbeitern und Angestellten.

Dieter	Herr Pabich, wann fangen Sie mit der Arbeit an?
Herr Pabich	Das ist verschieden. Wir arbeiten in drei Schichten, Frühschicht, Spätschicht und Nachtschicht.
Dieter	Wann beginnt die Frühschicht?
Herr Pabich	Die Frühschicht beginnt um halb sechs morgens und endet um halb zwei.
Dieter	Wie lange dauert die Nachtschicht?
Herr Pabich	Die Nachtschicht geht von halb zehn bis morgens um halb sechs.
Dieter	Zu welcher Schicht gehen Sie am liebsten?
Herr Pabich	Ich geh' am liebsten zur Spätschicht. Dann kann ich abends noch was unternehmen und morgens lange schlafen.
Dieter	Ist die Nachtschicht sehr anstrengend?
Herr Pabich	Im Anfang ja, aber ich mache das jetzt dreizehn Jahre, für mich ist es nicht mehr anstrengend.
Dieter	Wie kommen Sie zur Arbeit?
Herr Pabich	Ich habe kein Auto, ist mir zu teuer! Ich fahre mit einem Mofar.

Am Arbeitsplatz ist es laut und heiss. Klaus Pabich kontrolliert drei Maschinen. Diese Maschinen produzieren in acht Stunden 170 000 Flaschen.

Dieter	Herr Pabich, essen Sie immer in der Kantine?
Herr Pabich	Nein, ich nehme mir was von Zuhause mit und mach' es mir auf der Arbeit warm. Das schmeckt mir besser.
Dieter	Macht Ihnen Ihre Arbeit Spass?
Herr Pabich	Nein, dafür ist sie zu anstrengend.
Dieter	Warum haben Sie diesen Beruf gewählt?
Herr Pabich	Er wird gut bezahlt. Später, wenn die Kinder gross sind, möchte ich nicht mehr auf Schicht arbeiten.
Dieter	Wieviel verdienen Sie?
Herr Pabich	Ich verdiene 2000 DM netto im Monat.
Dieter	Herr Pabich, wie ertragen Sie den Lärm?
Herr Pabich	Dafür trage ich Gehörschutz.
Dieter	Und die Hitze?
Herr Pabich	Da trinke ich Mineralwasser und Bier.
Dieter	An was denken Sie bei Ihrer Arbeit?
Herr Pabich	An den Feierabend und an meine Hobbies und an die Familie.

Klaus Pabich hat viele Hobbies.

Herr Pabich	Kegeln, Skat spielen, Billiard spielen und Angeln.
Dieter	Kegeln Sie mit Ihrer Frau zusammen?
Herr Pabich	Nein, beim Kegeln bin ich lieber unter Männern!
Dieter	Verreisen Sie mit Ihren Kegelbrüdern?
Herr Pabich	Ja, wir fahren zum Weinfest, an den Rhein oder an die Mosel.
Dieter	Verreisen Sie auch mal mit Ihrer Familie?
Herr Pabich	Ja, wir fahren jedes Jahr drei Wochen in Urlaub nach Österreich.
Dieter	Was machen Sie im Urlaub?
Herr Pabich	Rad fahren, schwimmen, Pilze sammeln und angeln.
Dieter	Fahren Sie immer an denselben Ort?
Herr Pabich	Ja, wir fahren immer nach Kärnten!

Margret Pabich ist 32 Jahre alt, so alt wie ihr Mann. Sie geht nicht arbeiten. Ihre Arbeit ist der Haushalt und die Kinder. Aber sie hat auch Zeit für Hobbies.

Frau Pabich	Ja, ich habe ein Hobby, Häkeln und Kegeln.
Dieter	Was handarbeiten Sie?
Frau Pabich	Pullover, Kissen und viele andere Sachen. Das wird ein Abendkleid!
Dieter	Kegeln Sie mit Ihrem Mann zusammen?
Frau Pabich	Nein, ich kegele in einem Damenklub.
Dieter	Warum?
Frau Pabich	Weil ich mal allein ausgehen möchte!

Uwe und Thomas sind 11 und 12 Jahre alt. Sie haben auch viele Hobbies.

Dieter	Geht ihr gern zur Schule?
beide	Ja!
Dieter	Was macht ihr am liebsten in der Schule?
Uwe	Sport und Physik.
Thomas	Ich mag Englisch und Sport.
Dieter	Was möchtet ihr mal werden?
Thomas	Ich möchte Schornsteinfeger werden.
Uwe	Ich möchte Fernsehtechniker werden.
Dieter	Und habt ihr ein besonderes Hobby?
Thomas	Ja, ich habe zwei Hobbies, Schlagball werfen und Klettern.
Uwe	Und ich spiele gern Fussball und schwimme gern.
Dieter	Und wieviel Taschengeld bekommst du?
Uwe	In der Woche zwei Mark. Dafür kaufe ich Süssigkeiten und Sonstiges.
Dieter	Habt ihr Haustiere?
Thomas	Ja, wir haben vier Vögel. Exoten!

Und das Wichtigste im Leben?

Dieter	Was ist für Sie das Wichtigste im Leben?
Frau Pabich	Gesundheit, und die Zukunft unserer Kinder.
Dieter	Möchten Sie sich einmal einen besonderen Wunsch erfüllen?
Herr Pabich	Eine schöne Weltreise!

Herr and Frau Holthaus own a business which specialises in everything to do with beds. Dieter asked Herr Holthaus about his working hours.

When does Herr Holthaus start work in the mornings?
Does he need long to get to work?
Does he have a coffee break?
What time does he finish in the evenings?
What hours does he work at weekends?

Dieter	Wie ist Ihr Name, bitte?
Herr Holthaus	Ich heisse Rudolf Holthaus.
Dieter	Herr Holthaus, was sind Sie von Beruf?
Herr Holthaus	Ich bin Textilkaufmann.
Dieter	Wann kommen Sie morgens zur Arbeit?
Herr Holthaus	Ich komme morgens um halb neun ins Geschäft.
Dieter	Und wie kommen Sie dorthin?
Herr Holthaus	Ich habe meine Wohnung gleich nebenan.
Dieter	Haben Sie eine Kaffeepause?
Herr Holthaus	Nein, wir haben keine Kaffeepause.
Dieter	Und wann haben Sie Mittagspause?
Herr Holthaus	Wir machen von halb zwei bis drei Uhr Mittagspause.
Dieter	Herr Holthaus, wann haben Sie Feierabend?
Herr Holthaus	Wir machen um halb sieben Feierabend.
Dieter	Arbeiten Sie auch manchmal am Wochenende?
Herr Holthaus	Jawohl, wir arbeiten jedes Wochenende, und zwar den ersten Samstag im Monat bis abends um 6 Uhr, die übrigen Samstage bis 1 Uhr.

Dieter asked Frau Holthaus more about the firm, and was especially interested in the duvets and the feathers with which they are filled.

How many people work for Herr and Frau Holthaus?
From which countries do they get their goose and duck feathers?
What do they have to do with the feathers before they can be used?
How long does it take to fill a duvet?
How long does a good one last?

Dieter	Frau Holthaus, wie lange gibt es Ihr Geschäft schon?
Frau Holthaus	Wir sind ein Bettenfachgeschäft, und das Geschäft ist über achtzig Jahre in der Familie.
Dieter	Wieviele Angestellte arbeiten bei Ihnen?
Frau Holthaus	Im Augenblick haben wir neunzehn Angestellte.
Dieter	Was verkaufen Sie alles?
Frau Holthaus	Alles, was zum Bett gehört, zum Beispiel Matratzen, Sprungrahmen, Kopfkissen, Wolldecken, Oberbetten usw.
Dieter	Woraus besteht ein Federbett?
Frau Holthaus	Ein Federbett besteht aus Inlett und der Füllung.
Dieter	Woraus besteht die Füllung?

Frau Holthaus	Die Füllung besteht aus Federn oder Daunen oder Federn *und* Daunen.
Dieter	Woher bekommen Sie die Federn?
Frau Holthaus	Wir bekommen die Federn aus vielen Ländern, zum Beispiel aus China, Frankreich, England, Polen und aus Russland. Wir bekommen die Federn in grossen Ballen verpackt, und wir waschen die Federn, reinigen sie, sortieren sie in unserer Werkstatt.
Dieter	Was für Federn sind das?
Frau Holthaus	Es sind Gänsefedern und Entenfedern.
Dieter	Füllen Sie die Betten hier im Geschäft?

Frau Holthaus	Ja, wir haben einen eigenen Füllraum.
Dieter	Muss man ein Federbett vorher bestellen?
Frau Holthaus	Nein, Sie kommen ins Geschäft, Sie wählen das Inlett aus, Sie gehen in den Füllraum, wählen die Federn aus, und wir füllen Ihnen das Bett sofort.
Dieter	Wie lange dauert das?
Frau Holthaus	Ach, das geht schnell, das dauert zehn Minuten.
Dieter	Aus welchem Material ist das Inlett?
Frau Holthaus	Das Inlett ist aus reiner Baumwolle, sonst kommen die Federn durch.
Dieter	Wie lange hält ein Oberbett?
Frau Holthaus	Ein gutes Oberbett hält ein Leben lang.
Dieter	Frau Holthaus, und was für ein Federbett haben Sie?
Frau Holthaus	Wir haben eine gute Daunendecke.
Dieter	Na, dann können Sie bestimmt gut schlafen.
Frau Holthaus	Ja, natürlich!

Wie wohnen Sie?

About your home

1

Annette Graw lives in the ground-floor flat of a converted house

Corinna	Wie ist Ihr Name?
Frau Graw	Ich heisse Annette Graw.
Corinna	Frau Graw, wo wohnen Sie?
Frau Graw	Ich wohne in Hamburg.
Corinna	Wie wohnen Sie?
Frau Graw	Ich wohne in einer Mietwohnung. Das ist in einem grossen Haus, das früher ein Einfamilienhaus war. Es ist die unterste Etage.
Corinna	Wieviele Zimmer haben Sie?
Frau Graw	Wir haben neun Zimmer.
Corinna	Wieviel Miete zahlen Sie?
Frau Graw	Bis jetzt zahlten wir 850 DM, aber genau ab nächsten Monat müssen wir 1.500 DM bezahlen.
Corinna	Frau Graw, sind Sie verheiratet?
Frau Graw	Ja, ich bin verheiratet.
Corinna	Haben Sie Kinder?
Frau Graw	Ich habe drei Kinder.
Corinna	Gehen Ihre Kinder schon in die Schule?
Frau Graw	Ja, sie gehen alle drei schon in die Schule.
Corinna	Wie heissen Ihre Kinder?
Frau Graw	Isabel, Beatrice und Georg Alexander.
Corrina	Wie alt sind Ihre Kinder?
Frau Graw	Isabel ist 11 Jahre, Beatrice ist 10 Jahre alt, und Georg Alexander ist 8 Jahre alt.
Corinna	Und wie alt sind Sie?
Frau Graw	Ich bin 35.
Corinna	Wie alt ist Ihr Mann?
Frau Graw	Mein Mann ist 45.
Corinna	Arbeiten Sie?
Frau Graw	Ja, ich arbeite, allerdings nur zeitweise, einen Nachmittag in der Woche, in der Praxis einer Kollegin. Ich bin nämlich Krankengymnastin.
Corinna	Wieviel Urlaub haben Sie im Jahr?
Frau Graw	Ich kann mir den Urlaub nehmen, so wie ich möchte, und ich nehme natürlich alle Ferien, die die Kinder haben. Das sind im Jahr zehn Wochen Ferien.
Corinna	Wohin fahren Sie im Urlaub?
Frau Graw	Wir fahren immer nach Travemünde.
Corinna	Wie lange sind Sie schon hier?
Frau Graw	Wir sind jetzt fünf Wochen hier und haben noch eine Woche Ferien.

bis jetzt zahlten wir . . .	up till now we've paid . . .
wir sind jetzt fünf Wochen hier	we've been here for five weeks now

Johanna Brandi lives in Coerde, a suburb of Münster

Dieter	Wie heissen Sie, bitte?
Frau Brandi	Ich heisse Johanna Brandi.
Dieter	Woher kommen Sie?
Frau Brandi	Mein Mann und ich sind Berliner.
Dieter	Und wie lange leben Sie schon in Münster?
Frau Brandi	Wir sind jetzt vier Jahre hier.
Dieter	Und wie ist Ihre Adresse?
Frau Brandi	Münster-Coerde, Görlitzer Strasse.
Dieter	Wohnen Sie gerne dort?
Frau Brandi	Sehr gerne.
Dieter	Was für eine Gegend ist das?
Frau Brandi	Coerde ist ein Vorort von Münster, eine sogenannte Satellitenstadt. Sie ist ganz modern, ungefähr drei Kilometer von der Stadt entfernt, und wir haben hier draussen alles, was wir fürs tägliche Leben brauchen. Wir haben ein sehr gutes Einkaufszentrum, Schulen, Kindergarten, die Kirchen, das heisst eine katholische und eine evangelische Kirche, eine Stadtbücherei, eine kleine Sportanlage, eigentlich alles, was wir brauchen.
Dieter	Frau Brandi, wie wohnen Sie?
Frau Brandi	Wir wohnen in einem Einfamilienhaus, einem sogenannten Atriumhaus.
Dieter	Und wieviele Zimmer haben Sie?
Frau Brandi	Wir haben sieben Zimmer, ein grosses Wohnzimmer, ein Esszimmer und für jedes Familienmitglied ein Schlafzimmer und ein Gästezimmer.
Dieter	Wie sind Sie eingerichtet, Frau Brandi?
Frau Brandi	Wir haben ganz alte und ganz moderne Möbel durcheinanderstehen.
Dieter	Gehört Ihnen das Haus?
Frau Brandi	Ja, das Haus gehört uns.

wie sind Sie eingerichtet?   how is your home furnished?

Kurt Zeuner owns a house in a quiet, residential area in Münster

Dieter	Herr Zeuner, wie alt sind Sie?
Herr Zeuner	Ich bin 60 Jahre alt.
Dieter	Und wo wohnen Sie?
Herr Zeuner	In der Sentruper Strasse.
Dieter	Was für eine Gegend ist das?
Herr Zeuner	Das ist der Westen der Stadt Münster. Ich wohne da zwischen Sportplätzen, dem Zoo und dem Aasee.
Dieter	Ist es eine ruhige Wohngegend?
Herr Zeuner	Es ist eine sehr ruhige Wohngegend.
Dieter	Wie wohnen Sie?
Herr Zeuner	Ich wohne in einem Einfamilienhaus.
Dieter	Gehört Ihnen das Haus?
Herr Zeuner	Ja, das ist mein Eigentum.
Dieter	Wieviele Zimmer haben Sie?
Herr Zeuner	O, ich habe zehn Zimmer im Hause.
Dieter	Das ist aber ein grosses Haus!
Herr Zeuner	Ja, ich habe eine grosse Familie, dazu gehören vier Kinder. Eine Tochter ist bereits verheiratet. Es ist also ein Schwiegersohn dabei und dazu ein Enkelkind.

Dieter	Was sind das für Zimmer?
Herr Zeuner	Das sind drei Wohnzimmer und für jede Person ein Schlafzimmer.
Dieter	Haben Sie auch einen Garten?
Herr Zeuner	Ja, ich habe einen grossen Garten.

Überblick

Wie wohnen Sie?

Ich wohne in
Wir wohnen in

- einer Wohnung, Mietwohnung, Sozialwohnung, Eigentumswohnung
- einem Haus, Mietshaus, Eigentumshaus, Einfamilienhaus
- einem Einzelhaus, Bauernhaus
- einem Bungalow

Wir wohnen in einem Doppelhaus. Ein Doppelhaus ist ein einzeln stehendes Haus, in dem zwei Familien wohnen.

Ich wohne in einem möblierten Zimmer auf einer Studentenetage.

Wieviele Zimmer haben Sie?

Ich habe | 6 Zimmer
Wir haben | 3 Zimmer mit Küche und Bad

Haben Sie einen | **Garten?**
| **Balkon?**

Ja, | ich habe | einen Garten
| wir haben | einen Balkon
| | einen sehr grossen Garten
| | einen recht kleinen Garten hinter dem Hause

Nein, | ich habe | keinen Garten
| wir haben | keinen Balkon

Wieviel Miete zahlen Sie?

Ich zahle | 450 DM Miete im Monat
Wir zahlen | im Monat 800 DM Miete

Gehört Ihnen | **das Haus?**
| **der Bungalow?**
| **die Wohnung?**

Ja, | es | gehört | mir | Nein, | es | gehört | mir | nicht
| er | | uns | | er | | uns |
| sie | | | | sie | | |

Wo wohnen Sie?

In Münster-Coerde

In der Sentruper Strasse

In Handorf

In Oberkassel

Was für eine Gegend ist das?

Coerde ist ein Vorort von Münster.

Es ist eine ruhige Wohngegend.

Handorf liegt 10 km von Münster entfernt.
Es ist ein kleiner Ort mit vielen Bauernhöfen.

Oberkassel ist ein Stadtteil von Düsseldorf.

... ist ein $\left|\begin{array}{c}\text{Vorort}\\\text{Stadtteil}\end{array}\right|$ von ...

... liegt ... km von ... entfernt

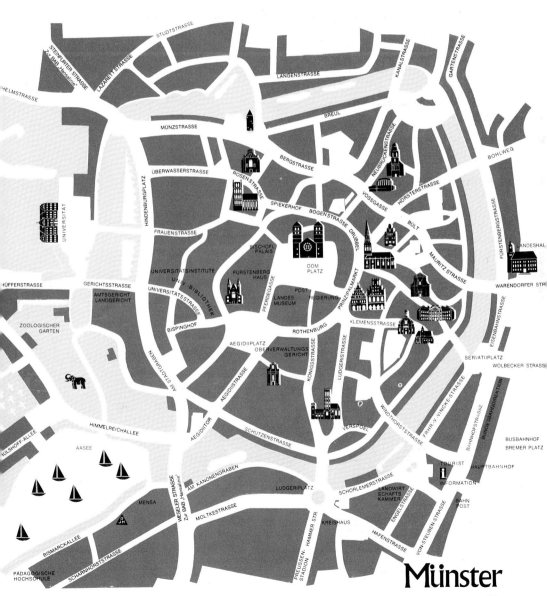

Münster

41

Übungen

1 Was sind die Fragen?

......................?	Mein Name ist Jochen Bruns.
......................?	Ich wohne in Nienberge.
......................?	Ja, ich wohne sehr gerne dort.
......................?	Es ist eine sehr ruhige, landwirtschaft-liche Gegend.
......................?	Ich wohne in einer Mietwohnung.
......................?	Drei Zimmer mit Küche und Bad.
......................?	Nein, wir haben keinen Garten.
......................?	Ja, wir haben einen grossen Balkon.
......................?	Wir zahlen im Monat 450 DM inklusive Garage.
......................?	Ja, die Wohnung gefällt uns, aber wir möchten uns gern ein Haus kaufen.

2 Was sind die Antworten? *See text 1, page 38.*

Wo wohnt Frau Graw? ....

Wie wohnt sie? ....

Wieviele Zimmer hat sie? ....

Wieviel Miete zahlt sie? ....

Wieviele Kinder hat sie? ....

Gehen alle Kinder in die Schule? ....

Wie alt ist Isabel? ....

Wie alt ist Herr Graw? ....

Arbeitet Frau Graw? ....

Wohin fährt sie im Urlaub? ....

3 Wie wohnen Sie?

Now you can work out some more questions and answers:

Herr und Frau Kustmann wohnen in einer Mietwohnung. Sie haben ein Schlafzimmer, ein Kinderzimmer, Wohnzimmer, Küche und Bad. Sie haben auch einen Balkon. Die Wohnung liegt in Schwabing. Das ist ein Stadtteil von München. Sie zahlen 500 DM Miete im Monat.

Paul Bergmann hat ein möbliertes Zimmer in einem Studentenwohnheim. Er teilt Küche und Bad mit zehn anderen Studenten. Er zahlt 150 DM Miete im Monat inklusive Heizung und Strom.

Inge Schneider wohnt in einer Sozialwohnung. Sie hat drei Schlafzimmer, ein Wohnzimmer, Küche und Bad. Sie zahlt 350 DM Miete. Der Wohnblock ist in einem neuen Vorort von Bonn, etwa zehn Kilometer vom Stadtzentrum entfernt. Es gibt viele gute Geschäfte in der Nähe und ein grosses modernes Einkaufszentrum.

Herr Jäger hat ein kleines Einfamilienhaus in einer ruhigen Wohngegend. Das Haus hat zwei Schlafzimmer, Wohnzimmer, Diele, Küche und Bad. Das Haus gehört ihm. Herr Jäger ist gern zu Hause und arbeitet gern in seiner Freizeit im Garten.

4 The Berkelmann family live in this flat. Ask them as many questions as you can and work out their answers:

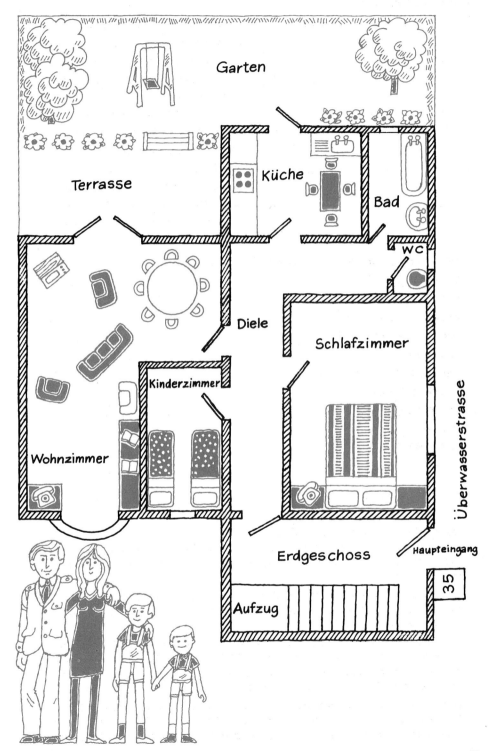

Garten

Terrasse

Küche

Bad

WC

Diele

Schlafzimmer

Kinderzimmer

Wohnzimmer

Überwasserstrasse

Erdgeschoss

Haupteingang

35

Aufzug

Studenten

Why does Frank Roeb sleep in the library?
Is he any good at housework and cooking?
Does his girlfriend see him when she likes?
Is it easy for students to find accommodation in Münster?
Do all students receive a grant?
Are the girls perhaps a bit prim?

Frank Roeb wohnt in einer Bibliothek. Er ist 26 Jahre alt und studiert im 14. Semester Ethnologie an der Universität Münster. Er bekommt ein hohes Stipendium und hat keine Geldsorgen. Er schläft in der Bibliothek seines Instituts, weil es praktischer ist.

Dieter	Warum wohnen Sie hier in der Bibliothek?
Frank	Ja, ich arbeite abends sehr lange, und dann ist es mir zu beschwerlich, nach Hause zu fahren.
Dieter	Haben Sie denn noch eine andere Wohnung?
Frank	Ja, ich habe ein kleines Landhaus gemietet, zwischen Münster und der holländischen Grenze.
Dieter	Wie hoch ist die Miete für das Haus?
Frank	Ich rechne ungefähr 300 DM mit den Nebenkosten.
Dieter	Wieviel Geld haben Sie im Monat zur Verfügung?
Frank	Etwa 1000 DM: 800 DM durch ein Stipendium und 200 DM von Zuhause. Davon muss ich mich einkleiden, mich ernähren und habe mein Auto davon zu unterhalten.
Dieter	Wer putzt das Haus?
Frank	Das mache ich selbst mit viel Erfolg!
Dieter	Und wer kocht?
Frank	Das mach' ich auch selbst. Ich koche meistens aus der Dose.
Dieter	Haben Sie viele Freunde?
Frank	Ja, ich habe einige Bekannte.
Dieter	Und viele Freundinnen?
Frank	Auch einige, aber nur eine besondere. Annette heisst sie.
Dieter	Wie oft sehen Sie sich?
Frank	Das hängt von mir ab!

Arme Annette! Frank arbeitet bis in die Nacht für sein Studium. Und er arbeitet in seiner Freizeit auch politisch sehr intensiv.

Dieter	Wie lang ist Ihr Studium?
Frank	Etwa sechs Jahre.
Dieter	Was möchten Sie werden?
Frank	Ja, vor allem reich und Museumsdirektor!
Dieter	Betätigen Sie sich politisch an der Universität?
Frank	Ja, ich bin in der Fachschaft meines Fachs tätig. Wir vertreten die Interessen der Studenten gegenüber den Lehrern und der Universität.
Dieter	Welche Probleme haben die Studenten?
Frank	In erster Linie finanzielle Probleme und dann die akute Raumnot, die hier in Münster herrscht. Die Studenten können keine Unterkünfte finden, und die Universität selbst ist auch überfüllt.

Zu wenige Studienplätze, zu wenige Studentenwohnungen. Acki Morthorst, Studentin der Geschichte und Sozialwissenschaft, lebt in einer Kommune — das ist ihre Antwort auf das Wohnproblem. Es ist ein altes Haus, das demoliert werden sollte. Da haben die Studenten es besetzt und renoviert. Heute leben sie hier legal.

Dieter	Wohnen Sie gern hier?
Acki	Ja, es gefällt mir, mit mehreren zu leben. Man kann so viel gemeinsam unternehmen.
Dieter	Gibt es Probleme?
Acki	Ab und zu, mit den anderen Hausbewohnern, wegen des Sauberhaltens im Treppenhaus.
Dieter	Wer kocht?
Acki	Wir wechseln uns ab mit den Leuten auf der Etage.
Dieter	Wieviel Miete kostet das Zimmer?
Acki	Ich zahle 64 DM im Monat.
Dieter	Bekommen Sie ein Stipendium?
Acki	Nein, ich erhalte von meinen Eltern monatlich zwischen 200 und 300 DM, den Rest verdiene ich mir durch Arbeit. Ich habe einen Job an der Universität.
Dieter	Was möchten Sie einmal werden?
Acki	Ich möchte in die Erwachsenenbildung und am liebsten Berufsschullehrerin werden.

Viele Studenten müssen — wie Acki — arbeiten gehen und ihr Studium ganz oder zum Teil finanzieren. Sehr viele Studenten leiden auch an Isolation während des Studiums.

Dieter	Haben Sie ein Hobby?
Acki	Ja, ich lese sehr gern und höre sehr gern Musik. Und in der Hauptsache beschäftige ich mich mit Politik.
Dieter	Wie oft besuchen Sie Ihre Eltern?
Acki	So alle drei bis vier Wochen.
Dieter	Warum leben Sie nicht bei Ihren Eltern?
Acki	O, wir haben zu viele Differenzen.
Dieter	Haben Sie einen Freund?
Acki	Nein, zur Zeit nicht.
Dieter	Ist es einfach in Münster, einen Freund zu finden?
Acki	Im allgemeinen nicht, die Studenten sind sehr isoliert, und es gibt wenig Kontaktmöglichkeiten.

Student sucht Studentin . . . Wieland Wöpking ist 22 Jahre alt und studiert Mathematik und Pädagogik.

Dieter	Herr Wöpking, was machen Sie in Ihrer Freizeit?
Wieland	Ich gehe sehr gerne spazieren und ich arbeite ausserdem in der Gewerkschaft mit.
Dieter	Haben Sie eine Freundin?
Wieland	Nein, das ist sehr schwierig hier in Münster, die Mädchen zieren sich hier sehr.
Dieter	Was machen Sie sonntags?
Wieland	Ich schlafe meistens!

Herr and Frau Grahn live in the country in an old farm house built in the 1850's. They bought the house in a very dilapidated condition and have spent every spare moment during the last few years renovating it in its original style. They are very proud of their home. They greatly enjoy the advantages of living in the country and feel now that they could never return to living in town.

How old are the children?
What is the focal point of the house?
What does Herr Grahn particularly enjoy about his home?

Dieter	Wie ist Ihr Name, bitte?
Herr Grahn	Ich heisse Horst Grahn.
Dieter	Herr Grahn, wo wohnen Sie?
Herr Grahn	Ich wohne in der Nähe von Münster, in Amelsbüren, in einer Dorfbauernschaft.
Dieter	Was für eine Gegend ist das?
Herr Grahn	Es ist flaches Land mit vielen Wäldern, Äckern und Wiesen.
Dieter	Sind Sie aus Münster?
Herr Grahn	Ja.
Dieter	Sind Sie verheiratet?
Herr Grahn	Ja, ich bin verheiratet.
Dieter	Haben Sie Kinder?
Herr Grahn	Ja, ich habe eine Tochter, Tanja, 3 Jahre alt und einen Sohn, Carsten, anderthalb Jahre alt.
Dieter	Herr Grahn, was sind Sie von Beruf?
Herr Grahn	Mein Beruf ist kaufmännischer Angestellter.
Dieter	Und wo arbeiten Sie?
Herr Grahn	Ich arbeite in einer Büroorganisationsfirma in Münster.
Dieter	Und wie wohnen Sie?
Herr Grahn	Wir wohnen in einem kleinen Bauernhaus.
Dieter	Wie alt ist das Haus?
Herr Grahn	Das Haus ist 120 Jahre alt.
Dieter	Und wie ist es jetzt eingerichtet?
Herr Grahn	Unser Haus ist jetzt von Grund auf im alten Stil renoviert. Der Mittelpunkt des Hauses ist das Herdfeuer. Der Herdfeuerraum selbst ist im Stil des Jahres 1850 eingerichtet.
Dieter	Wieviele Zimmer hat das Haus?
Herr Grahn	Das Haus hat sieben Zimmer. Es sind ein Schlafzimmer, zwei Kinderzimmer, zwei Badezimmer und die Küche.
Dieter	Wohnen Sie gerne hier?
Herr Grahn	Ja, wir lieben das Alte und sind zufrieden, dass uns keiner stört.

The Grahns have about five acres of land. Part of it is a vegetable and fruit garden looked after by Frau Grahn.

How much time does Frau Grahn spend working in the garden?
Does she sell the vegetables?
How often does she go shopping in Hiltrup?
What does she buy from the neighbouring farmer?
How far away is the nearest school?
What is the main disadvantage and what is the main advantage for the children?

Dieter   Frau Grahn, wieviele Stunden täglich arbeiten Sie im Garten?

Frau Grahn   Bei schönem Wetter zwei bis drei Stunden täglich, bei schlechtem Wetter gehe ich natürlich nicht in den Garten.

Dieter   Was haben Sie alles im Garten?

Frau Grahn   Erstmal Gurken, für uns das Wichtigste, Zwiebeln, Grünkohl, grüne Böhnchen, Tomaten, Erdbeeren, Blumenkohl, Rosenkohl.

Dieter   Verkaufen Sie das alles?

Frau Grahn   Nein, das gebrauche ich nur für meinen Haushalt.

Dieter   Haben Sie auch Obst?

Frau Grahn   Ja, wir haben fünfundzwanzig Pflaumenbäume, dreissig Apfelbäume, einige Birnbäume.

Dieter   Sie haben soviel, dann brauchen Sie gar nicht einkaufen zu gehen.

Frau Grahn   O, doch! Ich gehe einmal in der Woche einkaufen, nach Hiltrup.

Dieter   Wie weit ist das?

Frau Grahn   Das sind fünf Kilometer von uns—aber Milch, Eier, Butter und Käse kaufe ich bei dem nächsten Nachbarn, einem Bauern.

Dieter   Wo wohnt der Bauer?

Frau Grahn   Anderthalb Kilometer von hier entfernt.

Dieter   Und wo ist die nächste Schule?

Frau Grahn   Die nächste Schule ist in Amelsbüren, vier Kilometer von hier entfernt.

Dieter   Ist es für Sie nicht sehr einsam?

Frau Grahn   Nein, es ist gar nicht einsam. Wir haben sehr viele Freunde und einen sehr guten Kontakt zu allen unseren Nachbarn.

Dieter   Welche Vorteile und welche Nachteile gibt es hier?

Frau Grahn   Es gibt für uns nur einen Nachteil: unsere Kinder haben keine Spielkameraden.

Dieter   Und was für Vorteile haben Sie?

Frau Grahn   O, eine ganze Menge! Erstmal Ruhe, frische Luft, das Alleine- wohnen, wir haben keine störenden Nachbarn, und wir haben sehr viel Platz für unsere Kinder zum Spielen.

Dieter   Frau Grahn, möchten Sie einmal wieder in die Stadt zurück?

Frau Grahn   Nein, niemals!

Wohin fahren Sie?

Now talk!

Uwe Schwesig is a 21-year old student

Dieter Wie ist Ihr Name, bitte?
Uwe Ich heisse Uwe Schwesig.
Dieter Wie alt sind Sie?
Uwe Ich bin 21 Jahre alt.
Dieter Was sind Sie von Beruf?
Uwe Ich bin Student.
Dieter Wo studieren Sie?
Uwe An der Universität Münster.
Dieter Und was?
Uwe Ich studiere Geographie und Pädagogik.
Dieter Bekommen Sie ein Stipendium?
Uwe Nein, meine Eltern bezahlen das Studium.
Dieter Wann müssen Sie morgens aufstehen?
Uwe So um 8 oder 9 Uhr.
Dieter Und wann müssen Sie in der Universität sein?
Uwe Das ist ganz verschieden. Wenn ich Vorlesungen habe, um 9 und wenn ich Seminare besuche, um 12.
Dieter Wie kommen Sie zur Universität?
Uwe Ich fahre mit dem Fahrrad.
Dieter Und wann kommen Sie abends nach Hause?
Uwe Das ist verschieden. Manchmal ist es sogar 12 Uhr.
Dieter Wann haben Sie Semesterferien?
Uwe Wir haben zweimal im Jahr Semesterferien, einmal im Frühjahr von Mitte Februar bis Mitte April, und einmal im Sommer von Mitte Juli bis Mitte Oktober.
Dieter Was machen Sie in den Semesterferien?
Uwe Ich verreise oder arbeite.
Dieter Wohin fahren Sie zum Beispiel?
Uwe Im letzten Jahr war ich zum Beispiel in der Türkei.
Dieter Und was arbeiten Sie?
Uwe Ich arbeite bei einer Firma oder zum Beispiel bei der Post.
Dieter Verdienen die meisten Studenten auch nebenbei Geld?
Uwe Ja, es gibt sehr viele, die sich einen Job suchen und so nebenher Geld verdienen.
Dieter Und was machen sie zum Beispiel?
Uwe Sie arbeiten bei der Post, sie arbeiten in Hotels oder Geschäften oder werden Fahrer bei einer Fabrik.
Dieter Was kann man da verdienen?
Uwe Das kann ich nicht genau sagen, aber ich glaube, sie verdienen so zwischen 5 und 6 DM in der Stunde.

2

Frau Zani and her children are on a boat trip on the Rhine

Corinna	Woher kommen Sie?
Frau Zani	Wir kommen aus Krefeld. Das ist eine Stadt in der Nähe von Düsseldorf.
Corinna	Wo wohnen Sie in Krefeld?
Frau Zani	In einem sehr alten Haus. Das ist 1900 erbaut worden, und wir fühlen uns da sehr wohl
Corinna	Wieviele Kinder haben Sie?
Frau Zani	Ich habe zwei Kinder.
Corinna	Gehen Ihre Kinder schon in die Schule?
Frau Zani	Ja, die sind schon sehr gross. Die eine ist 9 Jahre alt, die andere 11 Jahre.
Corinna	Wie heissen Ihre Kinder?
Frau Zani	Patrizia und Violetta Merzedes.
Corinna	Wie alt sind Sie?
Frau Zani	Ich bin 28 Jahre alt.
Corinna	Wo ist Ihr Mann?
Frau Zani	Mein Mann lebt in Spanien.
Corinna	Ihr Mann lebt in Spanien?
Frau Zani	Ja.
Corinna	Was ist Ihr Mann von Beruf?
Frau Zani	Exportkaufmann.
Corinna	Arbeiten Sie?
Frau Zani	Ja, ich arbeite, ich bin Buchhändlerin.
Corinna	Wieviel verdienen Sie?
Frau Zani	Ich verdiene beinahe 700 DM, da ich nur halbe Tage arbeite.
Corinna	Wann müssen Sie morgens aufstehen?
Frau Zani	Um halb sieben.
Corinna	Und wann haben Sie Feierabend?
Frau Zani	Ja, Feierabend eigentlich nie, also ich arbeite bis halb zwei, und dann habe ich den Nachmittag für die Kinder und mich.
Corinna	Haben Sie ein Hobby?
Frau Zani	Viele Hobbies, ja.
Corinna	Was für Hobbies haben Sie?
Frau Zani	Ich spiele Tennis, ich schwimme sehr viel, ich laufe sehr gern Ski, ich male, ich lese viel.
Corinna	Warum machen Sie diese Fahrt heute?
Frau Zani	Weil es so ein grauer, trauriger Sonntag war, sind wir zum Rhein gefahren und haben diese Bötchenfahrt gemacht.
Corinna	Wie gefällt Ihnen der Rhein?
Frau Zani	Der Rhein gefällt mir eigentlich sehr gut, nur ist er leider sehr schmutzig.
Corinna	Kennen Sie den ganzen Rhein?
Frau Zani	Nein, den ganzen Rhein nicht, nur einen Teil.
Corinna	Welche Orte am Rhein kennen Sie?
Frau Zani	Köln und Koblenz, und ein Stück oben in der Schweiz, wo er beginnt.

das ist 1900 erbaut worden	it was built in 1900
wir fühlen uns da sehr wohl.	we are very happy there

Übungen

1 Und jetzt Sie!

Go through these questions and answer as many as you can. If there are two of you choose some questions to ask each other.

Wie ist Ihr Name?
Woher kommen Sie?
Wo wohnen Sie?
Wie lange wohnen Sie schon dort?
Wohnen Sie gern in . . . ?
Wie ist Ihre Adresse?
Was für eine Gegend ist das?
Können Sie dort gut einkaufen?

Sind Sie verheiratet?
Wie lange sind Sie schon verheiratet?
Haben Sie Kinder?
Gehen Ihre Kinder schon in die Schule?
Wie alt sind Ihre Kinder?
Wie heissen die Kinder?
Wie alt sind Sie?
Wie alt ist Ihre Frau/Ihr Mann?

Arbeiten Sie?
Was sind Sie von Beruf?
Wo arbeiten Sie?
Wann müssen Sie aufstehen?
Wann müssen Sie im Büro sein?
Wie kommen Sie zur Arbeit?
Wie lange brauchen Sie für den Weg?
Wieviele Tage arbeiten Sie in der Woche?
Wieviele Stunden arbeiten Sie pro Tag?
Haben Sie eine Kaffeepause?
Wie lange haben Sie Mittagspause?
Was machen Sie den ganzen Tag?
Wann haben Sie Feierabend?
Was machen Sie gern in Ihrer Freizeit?
Haben Sie ein Hobby?

Wieviel Urlaub haben Sie im Jahr?
Wohin fahren Sie im Urlaub?
Fahren Ihre Kinder mit?
Was machen Sie da?
Wohnen Sie in einem Hotel oder in einer Pension?
Wie fahren Sie dorthin?

Wie wohnen Sie?
Wieviele Zimmer haben Sie?
Was für Zimmer sind das?
Wie sind die Zimmer eingerichtet?
Haben Sie einen Garten?
Haben Sie einen Balkon?
Haben Sie eine Garage?
Gehört Ihnen das Haus/die Wohnung?
Wieviel Miete zahlen Sie im Monat?
Finden Sie das teuer?
Gefällt Ihnen das Haus/die Wohnung?

Haben Sie Telefon?
Wie ist Ihre Nummer?
Darf ich Sie anrufen?

2 Wer spricht? *Look back at the details of the four people introduced in the previous chapters.*

Ich wohne schon zwanzig Jahre in
   Berlin.   Helmut Jäger

Ich bin verwitwet.   ....

Mein Sohn ist 29 Jahre alt.   ....

Ich verdiene 2.400 DM im Monat.   ....

Ich fahre gern nach Italien.   ....

Ich gehe zu Fuss zur Arbeit.   ....

Ich habe eine Enkeltochter.   ....

Unsere Wohnung hat einen Balkon. ....

Ich habe keine offizielle Kaffeepause. ....

Montags gehe ich nicht zur Arbeit. ....

Ich esse mittags zu Hause.   ....

Das Haus gehört mir.   ....

Unser Baby heisst Christoph.   ....

Manchmal arbeite ich vierzehn Stunden
   am Tag.   ....

Ich habe drei Tage in der Woche frei. ....

3 Kontakte!

Heiratsanzeigen

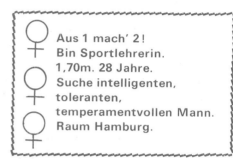

Raum München: Humorvolle, charmante Dame, dunkler Typ. 34. 1,64m.
Interessen: Theater, Konzerte, wandern, schwimmen.
Sucht aufgeschlossenen, gutsituierten Partner bis 42 Jahre, auch Witwer mit Kind angenehm.

Bin Kaufmann (30. 1,90m. Witwer) und suche eine Mutter für mein Kind.
Nicht unter 1,65m. Meine Hobbies sind tanzen, lesen, klassische Musik. Wohnung und Auto vorhanden.

**Aus 1 mach' 2!
Bin Sportlehrerin.
1,70m. 28 Jahre.
Suche intelligenten, toleranten, temperamentvollen Mann.
Raum Hamburg.**

50-jähriger Arzt, schlank, gutes Einkommen, sucht attraktive, charmante Bekannte bis 30 Jahre. Spätere Heirat nicht ausgeschlossen.

You're looking for a partner and would like to contact one of these advertisers.
Describe yourself, giving the following information:

Name,
Alter, Grösse
Adresse, Telefon
Familienstand
Kinder

Beruf
Einkommen
Wohnung, Haus
Zimmer, Garten usw.
Hobbies, Interessen

Auf dem Rhein

How many tons of grain does the *René* have
on board?
Does a bargeman have to work overtime to
earn enough money?
Why doesn't Frau Lehrmann go shopping
very often?
Would she like to have more children?
Has she decided what to do when the
children start school?

Alois Lehrmann lebt auf dem Wasser. Auf seinem Schiff *René* transportiert er Güter
zwischen Holland und der Schweiz. Im Düsseldorfer Rheinhafen besuchten wir die
Familie an Bord.

Corinna	Herr Lehrmann, wieviele Personen sind Sie hier an Bord?
Herr Lehrmann	Wir sind sechs Personen. Mein Vater, meine Frau Hedwig, mein Schiffsjunge und meine beiden Kinder René und Tina.
Corinna	Was haben Sie geladen?
Herr Lehrmann	Wir haben 240 Tonnen Hafer und 300 Tonnen Weizen geladen.
Corinna	Was für Ladungen transportieren Sie normalerweise?
Herr Lehrmann	Meistens Massengüter wie Braunkohle, Briketts, Steinkohle, Getreide, Autoteile, Eisenschrott.
Corinna	Welche Strecken fahren Sie normalerweise?
Herr Lehrmann	Die ganze Rheinstrecke und sämtliche westdeutsche Kanäle und in Holland sämtliche Kanäle.
Corinna	Und welche Strecken fahren Sie besonders gern?
Herr Lehrmann	Ja, meine Vorzugsstrecke ist der Rhein von Rotterdam bis Basel.
Corinna	Woher kommen Sie jetzt?
Herr Lehrmann	Wir kommen jetzt von Rotterdam.
Corinna	Wann löschen Sie die Ladung?
Herr Lehrmann	Morgen löschen wir die Ladung, und dann fahren wir weiter nach Mannheim.

Das Leben an Bord.

Corinna	Wann müssen Sie morgens aufstehen?
Herr Lehrmann	Um 4, 5 Uhr.
Corinna	Und wann machen Sie Feierabend?
Herr Lehrmann	Ja, so um 21, 22 Uhr.
Corinna	Was kann ein Binnenschiffer monatlich verdienen?
Herr Lehrmann	Als Schiffsführer kann man so 2000, 2500 DM—mit Überstunden—verdienen.
Corinna	Machen Sie auch mal Urlaub?
Herr Lehrmann	Das wird in diesem Jahr nicht gelingen.

Klaus Greber, der Schiffsjunge, ist sechzehn Jahre alt. Er findet die Arbeit nicht hart.

Corinna	Was ist Ihre Funktion hier an Bord?
Klaus	Ich mache die Maschinen sauber und muss die Laderäume saubermachen.
Corinna	Wieviel verdienen Sie?
Klaus	500 bis 600 DM im Monat.

Corinna	Ist Ihre Arbeit hart?
Klaus	Nein!
Corinna	Was machen Sie nach Feierabend?
Klaus	Die Wohnung sauber halten. Lesen.
Corinna	Was lesen Sie?
Klaus	Western und Mickymaus.
Corinna	Was möchten Sie später werden?
Klaus	Schiffsführer!

Hedwig Lehrmann hat zwei kleine Kinder und das
Leben an Bord ist nicht ganz leicht für sie.

Corinna	Wie oft kaufen Sie ein?
Frau Lehrmann	So alle acht bis vierzehn Tage.
	Meistens geht mein Mann einkaufen.
	Ich komm' ja selten fort durch die Kinder.
Corinna	Wenn Ihr Mann einkauft, bringt
	er dann auch mal was Schönes mit?
Frau Lehrmann	Ja, also meistens bringt er was mit,
	Blumen oder Pralinen.
Corinna	Wann haben Sie Feierabend?
Frau Lehrmann	Ja, ich hab' Feierabend,
	wenn mein Mann Schluss macht.
Corinna	Was machen Sie nach Feierabend?
Frau Lehrmann	Nach Feierabend schauen wir meistens fern oder unterhalten uns oder
	lesen.
Corinna	Wie alt sind Ihre Kinder?
Frau Lehrmann	Meine Kinder sind zwei und drei Jahre.
Corinna	Möchten Sie noch mehr Kinder haben?
Frau Lehrmann	Ich möchte keine Kinder mehr haben. Ich finde zwei Kinder genug auf
	dem Schiff.

Wünschen sich Lehrmanns ein anderes Leben?

Corinna	Haben Sie eine Wohnung an Land?
Herr Lehrmann	Ja, in Kollenberg bei Mindenberg am Main.
Corinna	Und wie oft sind Sie zu Hause?
Herr Lehrmann	Selten, fast nie!
Corinna	Möchten Sie gern an Land leben?
Frau Lehrmann	Also ich würde lieber an Land leben. An Land hat man mehr
	Freizeit, kann spazieren oder ins Kino gehen.
Corinna	Und Sie, Herr Lehrmann, was vermissen Sie hier an Bord?
Herr Lehrmann	Vor allen Dingen, dass man keine Sonntagsruhe hat.
Corinna	Was wird, wenn Ihre Kinder eines Tages in die Schule müssen?
Frau Lehrmann	Entweder muss ich an Land bleiben oder die Kinder müssen in ein
	Heim.
Corinna	Würden Sie Ihren Mann allein lassen?
Frau Lehrmann	Also nein, meinen Mann will ich auch nicht gern allein lassen . . .
Corinna	Herr Lehrmann, sind Sie glücklich in Ihrem Beruf?
Herr Lehrmann	Ja, man muss schon Optimismus haben. Aber mir macht's Spass!

Herr Paul Riemer is a well-known balloonist. Among his many achievements in the sport are the German national championships, crossing the Alps and the first German balloon flight in Sweden.

How many active lady members are there in the Münster Balloon-Club?
What is ideal ballooning weather?
How fast does a balloon travel?
How do you wish a balloon pilot a safe journey?

Dieter	Herr Riemer, Sie sind Ballonfahrer, sind Sie in einem Verein?
Herr Riemer	Ja, ich bin Mitglied im Freiballonsportverein Münster und Münsterland.
Dieter	Wieviele Mitglieder hat der Verein?
Herr Riemer	Der Verein hat 140 Mitglieder, von denen 37 aktiv sind, darunter zwei Frauen.
Dieter	Welche Arten von Ballons gibt es?
Herr Riemer	Wir unterscheiden Gasballons und Heissluftballons. Der Gasballon wird mit Wasserstoff gefüllt, der Heissluftballon wird mit heisser Luft gefüllt.
Dieter	Was ist das ideale Wetter für eine Ballonfahrt?
Herr Riemer	Das ideale Wetter ist nicht etwa strahlender Sonnenschein sondern bedeckter Himmel, da ich bei bedecktem Himmel keine Turbulenzen habe, sondern eine ruhige Fahrt machen kann.
Dieter	Und der Wind?
Herr Riemer	Der Wind sollte mässig, aber nicht zu stark sein.
Dieter	Wie hoch kann ein Ballon fahren?
Herr Riemer	Ein Gasballon kann Höhen erreichen von 6 bis 7000 Metern, ein Heissluftballon erreicht Fahrthöhen von 3000 bis 3500 Metern.

Dieter	Wie schnell fährt ein Ballon?
Herr Riemer	Ein Ballon fährt so schnell wie der Wind weht.
Dieter	Wo sind Sie schon überall gefahren, Herr Riemer?
Herr Riemer	Ich bin in ganz Europa gestartet, in Schweden, Dänemark, in England, in Holland, Belgien, Frankreich. Ich habe auch schon in der Tschechoslowakei Ballonaufstiege durchgeführt.
Dieter	Woran erinnern Sie sich besonders gerne?
Herr Riemer	1958 wurde ich Deutscher Meister im Freiballonfahren, 1963 überquerte ich in einem Freiballon die Alpen, 1966 machte ich den ersten deutschen Freiballonaufstieg in Schweden.
Dieter	Herr Riemer, haben Sie einen besonderen Gruss unter den Ballonfahrern?
Herr Riemer	Ja, den haben wir. Während der Bergmann 'Glückauf' sagt, sagen wir 'Glückab'.

Herr Werner Scholle has a different means of transport. For the past three years he has driven a horse-drawn bus around the old part of Münster. Although called a *Pferdebus*, it is an exact replica of a tram carriage of about 1900. The *Pferdebus* has become an attraction with tourists and the people of Münster alike.

How long does a trip last?
What sort of dog has
Herr Scholle got?
Who are his main passengers?
For how many months of the
year does he run the
Pferdebus?
What does he do for the rest
of the year?

Dieter	Herr Scholle, wo fährt Ihr Bus?
Herr Scholle	Rund um Münsters Promenade.
Dieter	Wieviele Pferde ziehen ihn?
Herr Scholle	Den Pferdebus ziehen zwei Pferde.
Dieter	Und wie heissen die Pferde?
Herr Scholle	Die Pferde heissen Wotan und Wrangel.
Dieter	Und wie lang ist eine Rundfahrt?
Herr Scholle	Eine Rundfahrt ist etwa 4,5 Kilometer und dauert etwa 45 Minuten.
Dieter	Und wer fährt mit Ihnen?
Herr Scholle	Zuerst fährt mein Hund mit.
Dieter	Was für ein Hund ist das?
Herr Scholle	Mein Hund ist ein schwarzer Labrador.
Dieter	Und wie heisst er?
Herr Scholle	Sultan.
Dieter	Und wer fährt sonst noch mit?
Herr Scholle	Touristen, Kinder, Schulklassen, Kindergärten, Grosseltern mit ihren Enkeln, Studenten, . . .
Dieter	Wieviele Personen können mitfahren?
Herr Scholle	Ja, so zwischen zwanzig und dreissig.
Dieter	Welche Farbe hat der Bus?
Herr Scholle	Der Bus ist gelb.
Dieter	Was ist das für ein Wagen?
Herr Scholle	Er sieht genauso aus wie ein alter Strassenbahnwagen von ungefähr 1900.
Dieter	Gehört er Ihnen?
Herr Scholle	Ja, er gehört mir.
Dieter	Machen Sie Promenadenfahrten das ganze Jahr?
Herr Scholle	Nein, ich fahre nur von Mai bis Oktober.
Dieter	Herr Scholle, haben Sie sonst noch einen Beruf?
Herr Scholle	Ja, wenn ich nicht Pferdebusfahrer bin, dann bin ich Maler.

Wiederholung

The following photographs will remind you of situations you have come across in the programmes. Make up possible conversations in each case.

Haben Sie ein Zimmer frei ?

Booking a room in the Hotel Körner in Hanover. *(Book 2, Chapter 11)*

Ich möchte diese Sachen reinigen lassen.

Bringing some clothes to a dry-cleaner's in Erfttal. *(Book 2, Chapter 13)*

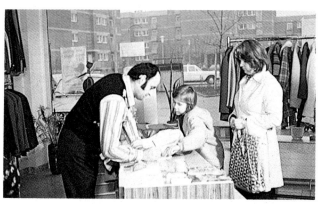

Ich möchte zwei Karten für . . .

Booking tickets for a play at the Münster theatre. *(Book 2, Chapter 12)*

Zwei Kaffee, bitte!

Drinks and ices on a
Sunday afternoon at the
Aasee café, Münster.
(Book 1, Chapter 4)

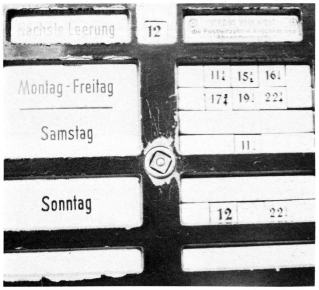

Wann geht die nächste Post?

A post box outside a main
post office in Hanover.
(Book 1, Chapter 9)

Was kostest eine halbe Stunde?

Two parking meters in
Münster.
(Book 1, Chapter 10)

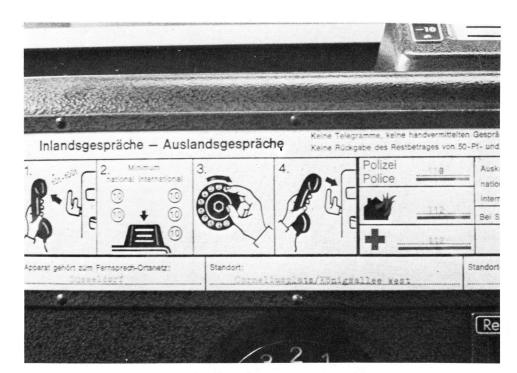

Inlandsgespräche – Auslandsgespräche

Keine Telegramme, keine handvermittelten Gesprä
Keine Rückgabe des Restbetrages von .50-Pf- und

Kann ich hier nach England telefonieren? Above: Telephone instructions in a phone box in the Königsallee, Düsseldorf. *(Book 2, Chapter 13)*
Was kostet ein Gëpackschliessfach pro Tag? Below: Instructions on a left-luggage locker at Brunswick station. *(Book 1, Chapter 10)*

114

BEDIENUNGSHINWEISE

1. Tür <u>weit</u> öffnen.
   Gepäck einlegen.
   Tür zumachen.
2. Geld einwerfen.
3. Tür andrücken
   und zuschließen.
4. Schlüssel abziehen,
   <u>Fachnummer merken.</u>
5. Nach 24 Stunden nachzahlen.
6. Nach 72 Stunden Fachinhalt
   bei der Gepäckaufsicht
   abfordern.

Wann fährt der nächste Bus?

The airport bus outside Terminal 2 at Düsseldorf Airport.
(Book 1, Chapter 9)

Zur Innenstadt, bitte!

The taxi rank outside Terminal 1.
(Book 1, Chapter 6)

Wie komme ich nach Dortmund?

A road in Münster showing motorway and main road directions and a parking area.
(Book 1, Chapter 7)

Was möchten Sie heute abend machen?

How many questions can you ask about the following events? If you have a partner, make up a complete conversation. Pick the events you want to go to and arrange to meet. Have a look at Book 2, Chapters 12 and 16 for some examples of what you might say.

Freizeitmagazin für junge Leute

wann+wer was+wo

Montag, 6.5.1974

17.30 **Führung durch den Botanischen Garten**

Treffpunkt: Eingang Botanischer Garten
Gebühr: 1,50 DM

18.30 **Kochen für Studenten**-4 Abende

Volkshochschule

20.00 **Clubparty** mit berühmten Gästen

Folkclub, Harsewinkelgasse 20

20.00 **Spielfilm** aus dem Programm der Film-Festivals 1973/74

Filmclub, Domplatz
Gebühr: 2,— DM

20.15 **Kammerkonzert** (Mozart u. Beethoven)

Collegium Musicum. Eintritt frei

20.30 **Fete,** Italienische, Türkische und Deutsche

Arbeiterbewegung, Internationales Zentrum der Universität

20.30 **7. Internationales Hot Jazz Meeting**

Congress—Centrum, Saal 1.
Karten: 10,— DM und 18,— DM

21.00 **Hamisch Durlach** in concert
Folksängerpersönlichkeit und notorischer Spassmacher in einer One-man-show.

Hörsaal, Hindenburgplatz
Eintritt: 4,— 5,— 7,— DM

Was möchten Sie essen ?

Tageskarte ·)€··

SUPPEN

Hühnerbrühe mit Einlage und Brötchen	DM 1.50
Gulaschsuppe mit Brötchen	DM 1.50
Schildkrötensuppe mit Toast	DM 2.20
Französische Zwiebelsuppe	DM 1.60

FÜR DEN EILIGEN GAST

Bockwurst mit Brötchen	DM 2.—
Bockwurst mit Kartoffelsalat	DM 2.60
Bratwurst mit Brötchen	DM 1.90
Bratwurst mit Kartoffelsalat oder Pommes frites	DM 2.50
Currywurst mit Pommes frites	DM 2.70
Schweinekotelette paniert, mit Kartoffelsalat	DM 4.50

KALTE SPEISEN

1/2 belegtes Brötchen (Käse, Wurst oder thür. Mett)	DM 1.—
1/2 belegtes Brötchen (Schinken oder Braten)	DM 1.20
Belegtes Brot (Mettwurst oder gek. Schinken)	DM 2.75
Belegtes Brot mit rohem Schinken	DM 3.75
Belegtes Brot mit Braten	DM 3.—
3/2 russische Eier auf Kartoffelsalat	DM 3.20
Heringsfilet-Topf mit Butterkartoffeln	DM 3.50
Schweinskopfsülze mit Remoulade, Pommes frites und Salatgarnitur	DM 3.20
'Strammer Max' mit Spiegelei	DM 4.—
Sülzkotelett mit Remoulade und Pommes frites	DM 4.25
Salatplatte mit gek. Ei und Remouladensauce	DM 5.—

WARME SPEISEN

Hühnersuppentopf, Hühnerfleisch, Reis, Spargel	DM 3.90
Thüringer Bratwurst mit Sauerkraut und Kartoffeln	DM 3.50
Deutsches Beefsteak mit Zwiebeln Tagesgemüse und Kartoffeln	DM 3.80
Schweinekotelette paniert, mit Salatteller oder Gemüse und Pommes frites	DM 5.25
Paniertes Jägerschnitzel mit Champignons in Rahm, Pommes frites, Salat	DM 6.50
Kaukasisches Schaschlik auf Curryreis mit Salat	DM 5.80
2 kleine Schnitzel 'Wiener Art' Buttersauce, Pommes frites, Salatteller	DM 6.60

VOM GRILL

Schweinesteak mit Paprikasauce, Reis und Salatteller	DM 6.20
Rumpsteak mit Sahnemeerrettich, Pommes frites und gemischtem Salat	DM 7.50
Pfeffersteak mit Pommes frites und Brechbohnen	DM 7.60
Kasseler Kotelette mit Champignons, Prinzessbohnen und Pommes frites	DM 6.—
Filetsteak mit Champignons in Rahm, Grilltomate, Pommes frites und gemischtem Salat	DM 9.50

NACHSPEISEN

Mandelpudding	DM 1.80
Gemischtes Eis mit Sahne	DM 2.00
Eisbecher mit Früchten und Sahne	DM 3.00
Vanille Eis mit heissen Schattenmorellen	DM 4.80
Quark mit Früchten	DM 1.50

WARME GETRÄNKE

Tasse Kaffee	DM 0.90
Kännchen Kaffee	DM 1.80
Tasse Kaffee Hag de Luxe	DM 0.95
Kännchen Kaffee Hag de Luxe	DM 1.90
Kännchen Mokka mit Sahne	DM 2.20
Tasse Trinkschokolade mit Sahne	DM 0.95
Glas Tee mit Zitrone oder Milch	DM 0.85

If you want wine with your meal, ask for the wine list. *(See Book 1, Chapter 4)*

Wann fährt der nächste Zug nach . . . ?

5 Hamburg/Bremen - Hannover - Frankfurt (M) - Mannheim - Basel und Stuttgart - Ulm

	IC 103 Ⓐ	IC 163 Ⓐ	IC 171 Ⓒ	IC 111 Ⓐ Ⓒ	IC 173 Ⓐ Ⓒ	IC 113 Ⓐ Ⓒ	TEE 183 Ⓐ Ⓒ	TEE 7 Ⓐ	IC 165	TEE 91 Ⓐ	TEE 75 Ⓐ	IC 185 Ⓒ	IC 175 Ⓐ Ⓒ	IC 115 Ⓐ Ⓒ	TEE 97 Ⓐ	IC 73 Ⓐ	IC 187 Ⓒ	IC 177 Ⓐ Ⓒ	TEE 11 Ⓐ
Hamburg-Altona .... ab	6.56				6.03		6.00										14.11		19.32
Hamburg Dammtor							6.12												19.43
Hamburg Hbf					6.58														
Hamburg-Harburg																			20.54
Bremen .... ab					7.00	7.25	7.27												
Hannover .... an / ab	8.19		8.55	9.46	7.56		8.21			7.24	8.14		9.32			11.27	15.07	13.32	21.57
Göttingen	8.52	7.46	9.41	9.56	9.22					7.31	9.09	10.11	9.39			11.34		13.39	
Fulda	9.20	7.57	9.49	11.06	10.26					7.40	10.07	11.08	9.45			11.40		13.45	
Frankfurt (M) .... an / ab	9.55	9.08	10.19	11.48	11.11				12.29	9.06	11.33	11.18	11.12	11.14		13.05	16.11	15.10	
		10.08		12.03	11.19			12.29	13.14	9.16		12.14	11.14	12.10		13.07		15.12	
Mannheim .... an / ab						11.16		13.22	13.27	10.10	12.31		13.37	13.37		14.04	16.08	16.08	
Heidelberg						11.16			13.27	11.33				15.31		15.31	17.36	15.07	
Stuttgart						11.26			13.37	12.37				15.41		16.30	18.34	15.12	20.54
Ulm .... an						13.39			14.48	13.21				17.54		19.51			
Karlsruhe .... ab			10.53		12.49			13.30		13.30	14.32		16.03					17.27	
Baden-Oos										14.00	15.00		16.18					17.37	
Offenburg			11.22								15.36		17.04					18.48	
Freiburg			11.22		13.25			14.52			15.43		17.04					19.51	20.05
Basel Bad .... an			12.00		13.25			15.29					17.40						21.43
Basel SBB .... an			12.07		13.31			15.36					17.46					20.05	21.52

Gesamtverkehr Mannheim—Ulm Tabelle 4

Zusätzliche Verkehrstage während der Messen siehe dritte Umschlagseite

Ⓐ Mo bis Fr,
nicht 22. XII. bis 1. I., 12. bis 15. IV.

Ⓒ Mo bis Sa,
nicht 23. XII. bis 1. I., 13. bis 15. IV.

Ⓓ nicht 23., 24., 25., 30. und 31. XII.

TEE 7 **Rheingold**
von Amsterdam ab 7.49
nach Genève an 18.49
🚃 nach Chur an 19.06
🚃 nach Milano an 21.00

TEE 11 **Rembrandt**
von Amsterdam ab 14.05
nach München

TEE 73 **Helvetia**
nach Zürich an 20.55

TEE 75 **Roland**
nach Milano an 21.00
🚃 Bremen—Chur
(an 19.06)

TEE 91 **Blauer Enzian**
nach München

TEE 97 **Prinz Eugen**
nach Wien an 23.00

IC 103 **Markgraf**
IC 111 **Rheinblitz** nach München
IC 113 **Glückauf** nach München
IC 115 **Merkur** nach München
IC 117 **Gambrinus** nach München
IC 163 **Hessenkurier** nach München
IC 165 **Präsident** nach München

IC 171 **Merian**
IC 173 **Mercator**
IC 175 **Otto Hahn** nach München
IC 177 **Diplomat** 🚃 nach Zürich an 23.07
IC 183 **Riemenschneider** nach München
IC 185 **Nordwind** nach München
IC 187 **Albrecht Dürer** nach München

Ask when the various trains leave, and when they arrive at their destination.
Practise saying the times aloud and try to give the complete answers.
(See Book 1, Chapter 9)

Was kostet der Flug nach . . . ?

Ask how much a flight costs to the various places listed. It could be a single flight or an economy return. Practise also the replies. The prices shown are of course in marks and will be out of date by now! *(See Book 1, Chapter 6)*

FLUGPREISE/FARES

Angaben ohne Gewähr

Bis auf die aufgeführten Ausnahmen ist der Hin- und Rückflugpreis gleich dem Doppel des einfachen Flugpreises. Wechselkursbedingte Änderungen vorbehalten.

Von **Düsseldorf** nach	1. Klasse einfach.	Economy einfach	Economy Hin- u. Rückflug	
			Wochenend	1 Monat
Glasgow	378,–	252,–		
Göteborg	451,–	310,–		
Hamburg	165,–	110,–	147,–	
Hannover	138,–	92,–	123,–	
Istanbul	738,–	551,–		765,–
Kassel	–	88,–		
Kiel	–	140,–		
Köln/Bonn	–	44,–		
Kopenhagen	332,–	228,–		
Korfu	598,–	440,–		567,–
Las Palmas	666,–	535,–		841,–
Lille	–	113,–		
Lissabon	533,–	397,–		624,–
London	245,–	164,–		
Lyon	258,–	186,–		233,–
Madrid	417,–	321,–		502,–

Wo ist . . . ?

You have just arrived at Terminal 1 departure hall. Ask where the various places in the airport are, and work out the answers.
(See Book 1, Chapter 2)

FLUGHAFEN DÜSSELDORF
DÜSSELDORF AIRPORT

Terminal 1

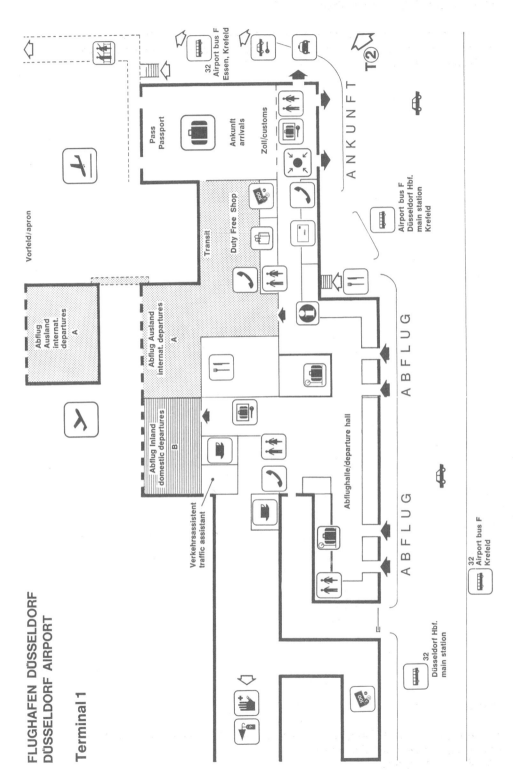

Wohin möchten Sie fahren?

Ask as many questions as you can about these trips, and if possible, supply the answers.
(See Book 2, Chapter 12)

Donnerstag, 9. August

| 432 | 7.00 | **Badefahrt an die holländische Nordsee nach Scheveningen** | **24,50** |

mit etwa fünf Stunden Aufenthalt am Strand

| 433 | 7.00 | **Tagesfahrt: Loreley — Nassau — Bad Ems** | **23,—** |
| | B | |

Bonn — Bad Godesberg — **Bad Niederbreisig** — Koblenz — Ehrenbreitstein — Oberlahnstein — Braubach — St. Goarshausen — Auffahrt zur **Loreley** — Bornig — Nastetten — Holzhausen — über die Bäderstraße nach **Nassau** — **Bad Ems** — Arenberg — Vallendar — Neuwied — Bad Hönningen — **Königswinter** — Bonn — Düsseldorf

| 434 | 13.45 | **Kaffeefahrt zur Burg Wegberg** | **8,—** |

Freitag, 10. August

| 435 | 7.00 | **Zum Trachtenstädtchen Volendam an der Zuidersee** | **26,—** |

Geldern — Goch — durch den Reichswald nach Kranenburg — **Berg en Dal** — Nijmegen — Arnheim — Ede — Amersfoort — Soestdijk — Amsterdam — Monnikendam — **Volendam** (mehrstündiger Aufenthalt) — Amsterdam — Arnheim — Nijmegen — — Düsseldorf

| 436 | 13.45 | **Kaffeefahrt zur Lüttelforster Mühle** | **8,—** |

Samstag, 11. August

437	6.30	**Tagesfahrt in den Schwarzwald:**	
	B	**Murgtal — Schwarzwaldhochstraße**	
		Sonderfahrpreis nur **29,—**

Fahrt durch den Westerwald und Taunus — vorbei an der Bergstraße nach Rastatt — durch das Murgtal über Rotenfels — Gernsbach — nach **Weisenbach** (Mittagspause) — Forbach — Raumünzach — vorbei an der Schwarzenbachtalsperre über Herrenwies nach Sand — **Schwarzwaldhochstraße** (kurze Besichtigungspause) — Bühlertal — Bühl und auf direktem Weg nach Düsseldorf

| 438 | 7.00 | **Badefahrt an die holländische Nordsee nach Katwijk** | **24,50** |

mit etwa fünf Stunden Aufenthalt am Strand

| 439 | 8.00 | **Halbtagsfahrt nach Venlo/Holland** | **8,—** |

| 440 | 13.45 | **Große Rundfahrt durch das Bergische Land** | **8,50** |
| | B | |

| 441 | 14.30 | **Sonderfahrt zur Großveranstaltung** | |
| | B | **„Der Rhein in Flammen"** | **17,—** |

Köln — Bonn — Bad Godesberg — Koblenz — **Braubach** (Teilnahme am Sommernachtsfest mit Weinbrunnen in den Rheinanlagen, abends Beleuchtung der Marxburg, zwischen 21.00 Uhr und 22.30 Uhr Großbeleuchtung auf dem Rhein zwischen Braubach und Koblenz. Um 23.00 Uhr Rückfahrt von Braubach auf direktem Weg. (Rückkunft gegen 1.30 Uhr)

Wann machen Sie auf ?   Wann machen Sie zu ?

Neu ab 1.10.74

Unsere Geschäftszeiten

Hauptstelle

montags – freitags	durchgehend 8.30 – 16.30 Uhr
Sonder-Service	
□ Spätdienst täglich (ausser Sa. u. So.)	16.30 – 18.00 Uhr
□ Sonderdienst am Samstag	8.30 – 12.30 Uhr

Zweigstellen

montags – freitags	8.30 – 12.30 Uhr
	14.00 – 16.30 Uhr

These are bank opening and closing times—the main branch and the branch offices. Ask when they open and close on the various days. Can you also supply the answers?
(See Book 1, Chapter 9)

Welche Strassenbahn fährt nach . . . ?

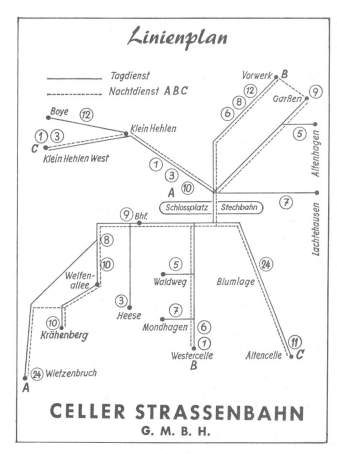

Linienplan

CELLER STRASSENBAHN
G. M. B. H.

Ask which tram goes to the various places on this map. If you can, give the answers as well.
(See Book 1, Chapter 6)

Haben Sie ein Zimmer frei ?

Ask about facilities in various hotels e.g. **Haben Sie einen Konferenzraum ?** and book rooms in different hotels for varying lengths of time. *(See Book 2, Chapter 11)*

Hotels und Pensionen

H = Hotel
F = Hotel Garni/Fremdenheim
G = Gasthof

III = sehr gut
II = gut
I = einfach

B = Zi. mit Bad
B* = alle Zi. mit Bad
D = Zi. mit Dusche
D* = alle Zi. mit Du.
E = Etag. Bad/Du.
T = Zi.-Tel., L = Lift
R = Restaurant i. Hs.
K = Konferenzraum
F = Fahrerzimmer
G = Gar., P = Parkpl.
Ha = Hallenbad
S = Sauna

Centrum / City / Centre ville

Kat.	Hotel	Straße	Nr. im Plan / Nr. on map / No sur le plan	Zimmer E/D / Rooms 1/2 beds / Nombre de chambres 1/2 lits	Breakfast, service and added value tax included / Petit déjeuner, service et taxe à la valeur ajoutée inclus	Preise incl. Frühstück, Bedienung u. Mehrwertsteuer	Ausstattung
III H	Hotel Inter-Continental	Friedrichswall 11	15	63/225	77,—/97,—	104,—/134,—	B*DTLRKFGP
III H	Kastens Hotel	Luisenstraße 1–3	23	176/62	31,—/80,—	60,—/110,—	BDTLRKFGP
III H	Grand Hotel Mußmann	Ernst-August-Platz 7	20	100/40	27,—/59,—	50,—/80,—	BDTLRKFP
III F	Hotel am Leineschloß	Am Markte 12	12	57/12	63,50	79,50/96,50	B*D*TLFGP
II H	Hotel Körner	Körnerstraße 24–25	6	37/36	32,—/55,—	47,—/78,—	BDTLRKFGP
II H	Hotel Regina	Ernst-August-Platz 5	19	30/45	24,—/45,—	38,—/70,—	BTLRKF
II H	Central-Hotel Kaiserhof	Ernst-August-Platz 4	17	32/44	28,—/56,—	48,—/88,—	BDTLRKFGP
II H	Rummel's Europäischer Hof	Luisenstraße 4	22	31/25	24,—/48,—	50,—/85,—	BDTLRKFP
II H	Hotel am Thielenplatz	Am Thielenplatz 2	29	59/21	26,—/33,—	40,—/59,—	BDTL
II H	Hotel Thüringer Hof	Osterstraße 37	14	50/25	30,—/48,65	67,30/87,—	BTLRKFG
II H	Hotel Hospiz d. Inn. Mission	Kurt-Schumacher-Straße 16	13	65/20	30,—/47,—	48,—/64,—	BDTLRKFGP
II H	Bundesbahn-Hotel	Ernst-August-Platz 1	21	53/11	25,50/33,—	49,—/70,—	BDTLRKP
II H	Hotel Big Ben	Knochenhauerstraße 34	10	—/9	30,—	50,—	D*TLRK
II H	Hotel am Rathaus	Friedrichswall 21	18	29/24	26,—/40,—	44,—/62,—	BDTLRKFP
I H	Hotel Gildehof	Joachimstraße 6	28	21/19	22,—/32,—	44,—/55,—	BDTLRK
II F	Hotel Atlanta	Hinüberstraße 1	36	13/3	20,—/35,—	45,90/60,—	BDTGP
II F	Hotel Flora	Heinrichstraße 36	44	13/9	20,—/32,—	38,—/48,—	DETFGP
II F	Hotel Elisabetha	Hindenburgstraße 16	48	18/7	20,—/27,—	45,—/54,—	DETFGP
I H	Hotel am Aegi	Marienstraße 5	30	16/7	21,30/30,—	36,40/55,—	BDRKP
I H	Billardhotel	Gerhardtstraße 6	5	12/2	22,—	42,—	BRGP
I H	Hotel Leinestuben	Lange Laube 20	9	8/4	19,—/26,—	38,—/50,—	RP
I H	Hotel Hannover	Joachimstraße 1	25	35/8	15,—/28,—	33,—/46,—	BDETLRKFP
I F	Hotel Union	Maschstraße 15	31	51/36	16,30/23,—	34,10/36,80	ELKFGP
II F	Hotel Hospiz am Bahnhof	Joachimstraße 2	26	24/13	20,50/27,—	38,—/45,—	BDETL
I F	CVJM Gästehaus	Limburgstraße 3	11	20/14	20,50/31,—	41,50/51,—	DETLKGP
I F	Hotel Hohenzollern	Gellertstraße 24	47	7/7	14,65/19,55	36,65/39,10	EF
I H	Hotel Nordstädter Hof	Gustav-Adolf-Straße 6	7	13/14	19,—/29,70	37,—/43,80	ERKP
II G	Gasthof 'Blauer Affe'	Bronsartstraße 4	16	5/5	19,50	34,—	E
I F	Hotel-Pension Fischer	Rautenstraße 30	50	9/4	17,—	34,—	DEFG
I F	Pension Probst	Schraderstraße 8 A	8	10/12	16,50/21,—	28,—/38,—	
	Jugendherberge (DJH)	Ferd.-Wilh.-Fricke-Weg 1	77	180	4,—/5,50		EK

Ask your way to the hotels and use the map below to work out directions from the main station. *(See Book 1, Chapter 7)*

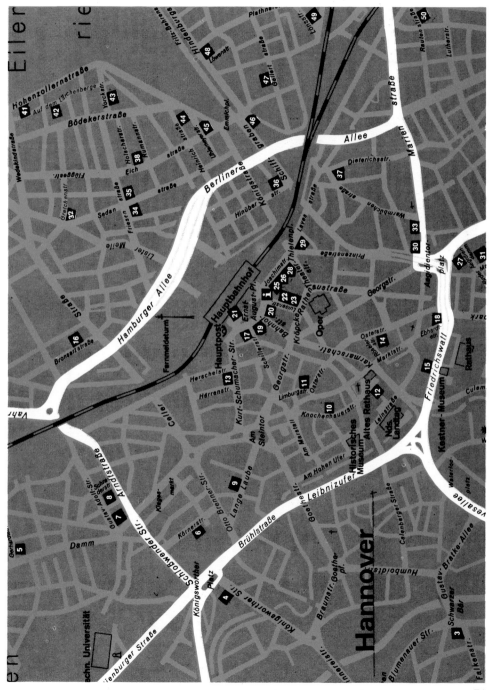

Wo möchten Sie sitzen ?

Book different seats for
the various performances.
(See Book 2, Chapter 12)

Kassenstunden

Dienstag bis Freitag 10.00 bis 13.30 Uhr und
17.00 bis 18.30 Uhr. Samstag 10.00 bis 13.30
Uhr. Sonn- und Feiertag 11.00 bis 12.30 Uhr.
Telefon 4 08 44. Montag telefonische Karten-
bestellung im Werbebüro von 10.00 bis 13.30
Uhr und 17.00 bis 18.30 Uhr.

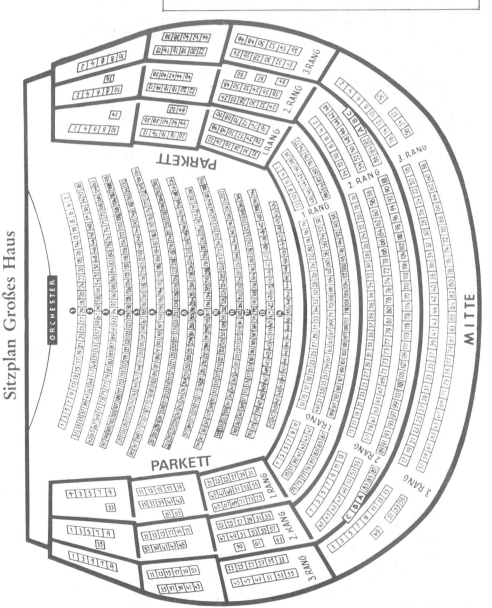

Spielplanvorschau Oktober 1974

GROSSES HAUS

Premiere: Don Giovanni Oper von Wolfgang Amadeus Mozart	19.30	Sa	5. 10.
Werbematinee	11.00	So	6. 10.
		Mo	7. 10.
Premiere: Wie es euch gefällt von William Shakespeare	20.00	Di	8. 10.
Don Giovanni	19.30	Mi	9. 10.
		Do	10. 10.
Premiere: Im weißen Rößl Operette von Ralph Benatzky	20.00	Fr	11. 10.
Wie es euch gefällt	20.00	Sa	12. 10.
Wie es euch gefällt	20.00	So	13. 10.
Einmaliges Gastspiel mit **Bernhard Minetti: Der Todestanz** von August Strindberg	19.30	Mo	14. 10.
Wie es euch gefällt	20.00	Di	15. 10.
2. Symphoniekonzert (Werke von Mendelssohn-Bartholdy, von Einem, Schumann)	20.00	Mi	16. 10.
2. Symphoniekonzert	20.00	Do	17. 10.
Wie es euch gefällt	20.00	Fr	18. 10.
Im weißen Rößl	20.00	Sa	19. 10.

Kassenpreise

Großes Haus

		Preiskategorie		
		I	**II**	**III**
	Reihe	(Gastspiele) DM	(Oper/Operette) DM	(Schauspiel) DM
Parkett	1.—11.	17,—	14,50	11,—
Parkett I. Rang Mitte I. Rang Seite	12.—14. 1.—3. 1.—2.	15,—	13,—	10,—
I. Rang Seite II. Rang Mitte II. Rang Seite	3. 1.—3. 1.	11,50	9,50	8,—
II. Rang Seite III. Rang Mitte	2.—3. 1.—2.	8,50	6,50	5,—
III. Rang Seite	1.—2.	5,—	3,50	2,50

Wie weit ist es von . . . nach . . . ?

	Aachen	Augsburg	Berlin	Bonn	Braunschw.	Bremen	Dortmund	Düsseldorf	Essen	Flensburg	Frankfurt/M.	Freiburg/Br.	Garmisch-Part.	Hamburg	Hannover	Hof	Karlsruhe	Kassel	Kiel	Köln	Konstanz	Lübeck	Mannheim	München	Nürnberg
Nürnberg	531	138	477	427	480	586	578	500	540	822	238	427	256	646	464	172	252	329	754	462	498	696	279	199	—
München	704	62	675	600	655	761	750	674	715	996	423	388	102	820	639	318	330	508	929	634	252	730	371	—	165
Mannheim	331	309	620	223	467	564	379	301	345	801	86	195	428	625	443	406	61	289	733	260	313	523	—	371	279
Lübeck	585	809	290	556	213	179	418	483	442	165	578	864	955	66	208	821	730	375	81	523	945	—	523	730	696
Konstanz	651	257	879	548	773	874	698	621	671	1105	401	158	340	929	748	570	252	602	1038	571	—	945	313	252	498
Köln	71	574	590	34	361	298	97	41	83	639	189	478	695	496	342	552	291	313	605	—	571	523	260	634	462
Kiel	633	867	400	605	298	227	467	531	491	81	647	922	1019	109	288	879	788	462	—	605	937	78	648	885	715
Kassel	356	447	433	313	192	290	209	267	244	529	200	481	595	353	172	455	347	—	462	325	602	375	289	508	329
Karlsruhe	395	272	678	291	523	620	447	365	417	856	144	134	387	680	498	462	—	347	788	325	252	730	66	330	252
Hof	657	316	336	552	347	606	515	467	417	856	364	596	422	771	372	—	462	455	879	309	570	821	406	318	172
Hannover	376	577	287	342	62	121	211	289	251	315	352	604	723	151	—	372	498	172	288	309	748	208	443	639	464
Hamburg	525	759	291	496	183	121	360	428	401	164	494	756	875	—	151	771	680	353	109	463	929	66	625	820	646
Garmisch-P.	799	119	732	695	720	842	724	686	712	1039	488	342	—	911	723	422	387	595	1019	729	340	955	428	102	256
Freiburg/Br.	529	326	812	425	720	842	724	686	712	1039	278	—	342	756	604	422	134	481	922	478	158	864	195	388	427
Frankfurt/M.	294	362	534	189	394	371	340	231	247	557	—	278	488	494	352	364	144	200	647	189	401	578	86	423	238
Flensburg	701	935	467	672	365	295	535	599	557	—	557	1039	1039	164	315	879	856	529	81	639	1105	165	801	996	822
Essen	127	653	532	116	303	259	35	40	—	557	247	712	712	401	251	417	417	244	491	83	671	442	345	715	540
Düsseldorf	92	614	567	74	338	300	78	—	40	599	225	686	686	428	289	467	365	267	531	41	621	483	301	674	500
Dortmund	161	688	498	151	269	234	—	78	35	535	269	724	724	360	211	515	447	209	467	97	698	418	379	750	578
Bremen	397	700	412	371	183	—	234	300	259	295	371	842	842	121	121	606	620	290	227	298	874	179	564	761	586
Braunschw.	430	594	230	394	—	183	269	338	303	365	342	720	720	183	62	347	523	192	298	361	773	213	467	655	480
Bonn	100	522	571	—	394	371	269	225	247	535	139	454	776	307	164	329	302	246	285	41	247	375	61	330	279
Berlin	659	540	—	570	150	285	515	471	533	920	193	858	968	96	258	721	736	284	462	284	602	289	289	508	329
Augsburg	644	—	622	305	347	277	104	45	67	610	80	198	85	64	221	135	66	261	648	243	295	599	61	371	199
Aachen	—	566	601	375	430	199	68	32	40	777	223	369	261	613	470	135	243	308	715	403	289	666	280	165	—

(See Book 1, Chapter 7)

Der Frische–Einkaufsspaß

für das besondere Wochenend–Menü

Baby Puten 2·99
gefroren, Klasse A   500g

UNSERE PREISSENSATION
1a Rinder
Schmorbraten 3.98
ohne Beilage   500g

und dazu Holländischer
Kopfsalat -.29
Klasse1, große Köpfe   Stück

als Nachtisch
frische französische
Erdbeeren 2·48
aromatisch, Klasse1 Schale 500g
mit frischer
Süßer Sahne -.80
30% Fettgehalt Becher 200g

Für die Traubenkur die preiswerten
italienischen hellen
TAFELTRAUBEN -.89
"Regina" Klasse1   1kg

Jetz wieder
Frisch-Fisch **Rotbarsch-Filet** 2·98
500g

Kasseler Aufschnitt 100g **1·58**

Knacker, einfach 100g **-.69**

Do your shopping for the weekend! *(See Book 1, Chapters 3 and 10)*

Lesen Sie weiter!

Erika Hautmann is a film editor by profession, but now has a small baby to look after. She does a lot of work for her husband, who provides lighting and other equipment to the film industry. Their home and business are both in the same building—and are very much mixed up.

Dieter	Wie ist Ihr Name, bitte?
Frau Hautmann	Erika Hautmann.
Dieter	Frau Hautmann, wie alt sind Sie?
Frau Hautmann	Ich bin 32 Jahre alt.
Dieter	Frau Hautmann, was für eine Wohnung haben Sie?
Frau Hautmann	Wir haben eine provisorische Wohnung, das heisst, das Schlafzimmer ist in der Etage, wo die Büros sind.
Dieter	Frau Hautmann, sind Sie verheiratet?
Frau Hautmann	Ja.
Dieter	Wie lange schon?
Frau Hautmann	Ich bin seit fünf Jahren verheiratet.
Dieter	Haben Sie Kinder?
Frau Hautmann	Ich habe ein Baby.
Dieter	Wie alt ist das Baby?
Frau Hautmann	Das Baby ist acht Monate alt.
Dieter	Und wie heisst es?
Frau Hautmann	Julia Franziska.
Dieter	Wie oft bekommt es etwas zu essen?
Frau Hautmann	Das Baby bekommt viermal am Tag etwas zu essen.
Dieter	In der Nacht nicht?
Frau Hautmann	Gott sei Dank, nein!
Dieter	Frau Hautmann, was sind Sie von Beruf?
Frau Hautmann	Ich bin Cutterin von Beruf.
Dieter	Und wann stehen Sie morgens auf?
Frau Hautmann	Leider immer viel zu früh. Ich muss aufstehen, wenn das Baby schreit und würde lieber länger schlafen.
Dieter	Was machen Sie den ganzen Tag?
Frau Hautmann	Ich muss das Baby füttern, das Baby saubermachen, ich arbeite im Büro, ich sitze am Telefon, beantworte das Telefon, muss mit dem Hund spazierengehen, muss einkaufen, muss meinen Mann versorgen und habe so sehr viel zu tun.
Dieter	Wie heisst der Hund?
Frau Hautmann	Der Hund heisst Moritz. Er ist sehr dick, weil er sehr viel frisst und sehr gern Bier trinkt.
Dieter	Wie verstehen sich Julia und Moritz?
Frau Hautmann	Julia und Moritz verstehen sich ziemlich gut. Der Hund liebt Julia, weil Julia immer etwas zu essen in der Hand hat, und er stiehlt es sehr oft.
Dieter	Frau Hautmann, was machen Sie in Ihrer Freizeit?
Frau Hautmann	Ich habe sehr wenig Freizeit, aber ich würde gern öfters in die Altstadt gehen, oder ich gehe gerne essen, was man an der Figur sieht.
Dieter	Machen Sie Urlaub?
Frau Hautmann	Leider sehr selten.

Karlheinz and Elisabeth Stahl run a strawberry farm near Travemünde. During the season they employ up to 250 fruit-pickers every day. Most of the fruit goes to industry, but anyone can go and pick the strawberries for himself. The crop was only average this year, as the rain did a lot of damage. Mr. Stahl doesn't think farming is a very profitable business in Germany today.

Corinna	Wie ist Ihr Name?
Herr Stahl	Mein Name is Karlheinz Stahl, und das ist meine Frau Elisabeth.
Corinna	Haben Sie Kinder?
Frau Stahl	Ja, wir haben zwei Kinder.
Corinna	Gehen Ihre Kinder schon in die Schule?
Frau Stahl	Nein, noch nicht.
Corinna	Wie alt sind Ihre Kinder?
Frau Stahl	3 and 6 Jahre alt.
Corinna	Und wie alt sind Sie?
Frau Stahl	32 Jahre alt.
Herr Stahl	Und ich bin 35 Jahre alt.
Corinna	Wann müssen Sie morgens aufstehen?
Frau Stahl	Ich, um 7 Uhr.
Herr Stahl	Ich stehe morgens um halb fünf auf.
Corinna	Wann fängt die Arbeit an?
Herr Stahl	Etwa eine Stunde später.
Corinna	Wann haben Sie Feierabend?
Herr Stahl	Zwischen 19 und 20 Uhr.
Corinna	Welche Arbeiten machen Sie auf dem Hof?
Frau Stahl	Ich mache die Hausarbeit, ich versorge die Kinder und helfe in der Erdbeerzeit auf dem Feld.
Corinna	Wieviele Hektar haben Sie?
Herr Stahl	Wir haben 50 Hektar, davon bewirtschaften 25 ich und 25 mein Vater.
Corinna	Was bauen Sie an?
Herr Stahl	In der Hauptsache Erdbeeren.
Corinna	Wann ist die Erdbeerernte?
Herr Stahl	Die Erdbeerernte ist im Monat Juni und Juli.
Corinna	War es dieses Jahr eine gute Ernte?
Herr Stahl	Ja, sie war mittelmässig. Der Regen hat uns grossen Schaden gemacht.
Corinna	Wieviel Zentner Erdbeeren haben Sie geerntet?
Herr Stahl	Wir haben zirka 3000 Zentner Erdbeeren geerntet.
Corinna	3000? Wieviel Kilo sind das?
Herr Stahl	Das sind 150 000 Kilo.
Corinna	Was kostet ein Kilo Erdbeeren?
Herr Stahl	Ein Kilo kostet zirka 2 DM.
Corinna	Und wer kauft die Erdbeeren?
Herr Stahl	Die Erdbeeren werden hauptsächlich von der Industrie gekauft, aber auch die Verbraucher, Hausfrauen und Familien können kommen und sich ihre Erdbeeren selbst pflücken.
Corinna	Haben Sie Hilfe auf Ihrem Hof?
Herr Stahl	Ja, in der Erdbeerernte haben wir täglich zwischen 200 und 250 Pflücker.
Corinna	Haben Sie noch Erdbeeren?
Herr Stahl	Nein, die Ernte ist beendet.
Corinna	Geht es den Bauern gut?
Herr Stahl	Nein, den deutschen Bauern geht es nicht sehr gut.

Cornelia Bielefeldt is a young student. During the summer holidays she runs a children's playgroup in Travemünde, a seaside resort on the Baltic.

Corinna	Wieviele Kinder kommen täglich in den Kinderklub?
Cornelia	Es erscheinen hier täglich zirka dreissig Kinder.
Corinna	Wann kommen die Kinder morgens?
Cornelia	Die Kinder kommen in der Regel gegen 10 Uhr.
Corinna	Und wann gehen die Kinder nach Hause?
Cornelia	Sie gehen um halb eins zu Tisch nach Hause.
Corinna	Wie alt sind die Kinder?
Cornelia	Die Kinder sind im Schnitt 7 bis 9 Jahre.
Corinna	Und was machen die Kinder hier?
Cornelia	Sie haben Gelegenheit zum Malen, zum Kartenspielen, zum Kneten, Springtau springen, spielen, und so weiter.
Corinna	Gefällt es den Kindern hier?
Cornelia	Ja, sie sind begeistert, sie kommen sehr gern und sind auch voll beschäftigt während der ganzen Zeit.

Some of the children were also asked questions, and Corinna uses **du** when talking to them.

Corinna	Wie ist dein Name?
Vera	Ich heisse Vera Klaudiarike.
Corinna	Und wie alt bist du, Vera?
Vera	Ich bin 7.
Corinna	Wo wohnst du?
Vera	Ich wohne in der Windstrasse 14.
Corinna	Was machst du hier im Kinderklub?
Vera	Ich male, knete und springe Springtau.
Corinna	Gefällt es dir hier?
Vera	Ja.
Corinna	Was möchtest du mal werden?
Vera	Ich möchte Krankenschwester werden.

Corinna	Wie ist dein Name?
Ute	Ich heisse Ute Ellermann.
Corinna	Und wie alt bist du, Ute?
Ute	Ich bin 5 Jahre alt.
Corinna	Was machst du hier im Kinderklub?
Ute	Ich spiele mit Knete, und ich male.
Corinna	Wann kommst du morgens?
Ute	Ich komme morgens um 10 Uhr.
Corinna	Und wann gehst du nach Hause?
Ute	Um halb eins.
Corinna	Ute, was möchtest du mal werden?
Ute	Ich möchte mal Sängerin werden.

Corinna	Holger, wie alt bist du?
Holger	5.
Corinna	Was möchtest du mal werden, Holger?
Holger	Astronaut.

Corinna	Wie ist dein Name?
Christopher	Mein name ist Christopher Bohnhof.
Corinna	Christopher, wie alt bist du?
Christopher	Ich bin 9 Jahre alt.
Corinna	Was machst du hier im Kinderklub?
Christopher	Ich male und knete.
Corinna	Gefällt es dir hier?
Christopher	Ja.
Corinna	Warum?
Christopher	Weil man hier so viel machen kann.
Corinna	Was möchtest du mal werden, Christopher?
Christopher	Ich möchte mal Maler werden.

Cornelia Bielefeldt was also asked some questions about herself.

Corinna	Was sind Sie von Beruf?
Cornelia	Ich bin Studentin.
Corinna	Was studieren Sie?
Cornelia	Ich studiere Musik und Französisch.
Corinna	Wo studieren Sie?
Cornelia	Ich studiere in Kiel.
Corinna	Wann müssen Sie morgens aufstehen?
Cornelia	Ich muss morgens um Viertel nach sechs aufstehen.
Corinna	Und wann müssen Sie an der Universität sein?
Cornelia	Mein Unterricht beginnt um 8 Uhr.
Corinna	Wieviele Stunden arbeiten Sie am Tag?
Cornelia	Ich arbeite pro Tag acht bis zehn Stunden.
Corinna	Mit wieviel Geld müssen Sie monatlich auskommen?
Cornelia	Ich habe 470 DM im Monat zur Verfügung.
Corinna	Was für Hobbies haben Sie?
Cornelia	Meine Hobbies sind Ballett tanzen, Klavier spielen und singen.
Corinna	Was möchten Sie später machen?
Cornelia	Ich möchte gern Gesang studieren.
Corinna	Fräulein Bielefeldt, sind Sie verlobt?
Cornelia	Nein, ich bin nicht verlobt.
Corinna	Haben Sie einen Freund?
Cornelia	Ja, ich habe einen Freund.
Corinna	Wie heisst Ihr Freund?
Cornelia	Mein Freund heisst Thomas.

Ute Fischer is 19 and is a law-student at Münster University. She has only just begun her course and can't tell yet whether she's going to like it or not. She rents a furnished room and plays the guitar as a hobby. She also writes her own songs.

Dieter Woher kommen Sie?
Ute Ich komme aus Hagen in Nordrhein-Westfalen.
Dieter Wie lange leben Sie schon in Münster?
Ute Ich lebe hier seit einem Monat.
Dieter Was studieren Sie?
Ute Ich studiere Jura.
Dieter Studieren Sie gern?
Ute Das kann ich noch nicht beurteilen, da ich jetzt vor einem Monat das Studium aufgenommen habe.
Dieter Wann müssen Sie morgens aufstehen?
Ute Das ist unterschiedlich, mal um 9, mal um 10, aber manchmal erst um 12.
Dieter Wann müssen Sie morgens in der Universität sein?
Ute Das ist unterschiedlich. Es kommt darauf an, wann die Vorlesungen beginnen.
Dieter Was möchten Sie später werden?
Ute Entweder möchte ich gerne Rechtsanwältin, Staatsanwältin oder Richterin werden.
Dieter Ute, wie wohnen Sie?
Ute Ich wohne in einem möblierten Zimmer auf einer Studentenetage.
Dieter Wieviel Miete zahlen Sie?
Ute Ich zahle monatlich 180 Mark, und dann kommen die Stromkosten noch dazu.
Dieter Haben Sie ein Hobby?
Ute Ja, ich mache gerne Musik, schreibe gerne und versuche, Gitarre zu spielen.
Dieter Schreiben Sie Ihre Lieder selbst?
Ute Ja, die Texte schreibe ich selbst, und ich versuche, auch die passende Melodie zu finden.
Dieter Möchten Sie nicht Sängerin werden?
Ute Sängerin schon, wenn ich keine kommerzielle Musik singen muss, so wie es die Manager und der Schlagermarkt wünschen.

Natur

Siehst Du dort die hohen Bäume und dichten Wälder steh'n?
Siehst Du den lauen Wind über die breiten Felder weh'n?
Siehst Du die kleinen Bäche und grossen Flüsse fliessen?
Siehst Du den alten Gärtner seine schönen Blumen begiessen?

Natur, das ist die Natur. Natur! Natur!

Eile, Hetze, Langeweile,
Meter, Kilometer, Meile,
Schmutz, Abgase, Motels,
Sirenen, Lärm, Hotels,
Fabriken, Arbeit, Zeit!

Jetzt, jetzt ist das so weit.
Ja, jetzt, jetzt ist das so weit.

Die Zeit der Zerstörung hat begonnen,
Die Technik hat gewonnen.

Futur! Futur!

Manfred Kuschke is a cook. He runs the University canteen in Münster and has to provide up to seven thousand meals a day. He gets up at five every morning, starts work at seven and goes home at half past three. He is married, with one son, and likes making things for the home.

Dieter	Wie ist Ihr Name, bitte?
Herr Kuschke	Mein Name ist Manfred Kuschke.
Dieter	Herr Kuschke, was sind Sie von Beruf?
Herr Kuschke	Ich bin Koch von Beruf und arbeite in der Mensa.
Dieter	Wieviele Essen geben Sie pro Tag aus?
Herr Kuschke	Wir geben 6 bis 7000 Essen pro Tag aus.
Dieter	Und wieviel Kilo Lebensmittel verbrauchen Sie dabei?
Herr Kuschke	Zirka 300 Kilo Rindfleisch, 2500 Koteletts, 12 Kisten Salat und 300 Kilo anderes Gemüse.
Dieter	Herr Kuschke, wieviele Personen arbeiten bei Ihnen?
Herr Kuschke	In der Mensa arbeiten zirka siebzig Personen.
Dieter	Wie lange dauert die Zubereitung des Essens?
Herr Kuschke	Die Zubereitung dauert von 7 Uhr morgens bis 12 Uhr mittags.
Dieter	Wieviele Gerichte gibt es?
Herr Kuschke	In der Mensa gibt es fünf Gerichte, ein Essen zu 1,20 DM, zu 2,50 DM, zu 1,80 DM, zu 90 Pfennig und ein Kinderessen zu 80 Pfennig.
Dieter	Wann müssen Sie morgens aufstehen?
Herr Kuschke	Ich stehe um 5 Uhr morgens auf.
Dieter	Und wann müssen Sie bei der Arbeit sein?
Herr Kuschke	Ich bin um 7 Uhr bei der Arbeit.
Dieter	Wann haben Sie Feierabend?
Herr Kuschke	Ich habe um halb vier Feierabend.
Dieter	Haben Sie eine Mittagspause?
Herr Kuschke	Ja, ich habe eine Mittagspause.
Dieter	Und was machen Sie in der Pause?
Herr Kuschke	Ich lese meistens in der Mittagspause in Fachzeitschriften.
Dieter	Wo essen Sie zu Mittag?
Herr Kuschke	Ich esse in der Mensa zu Mittag.
Dieter	Herr Kuschke, wo wohnen Sie?
Herr Kuschke	Ich wohne in Emsdetten bei Münster.
Dieter	Wie lange leben Sie schon dort?
Herr Kuschke	Ich lebe vier Jahre in Emsdetten.
Dieter	Herr Kuschke, wie wohnen Sie?
Herr Kuschke	Ich habe eine Mietwohnung.
Dieter	Wieviele Zimmer haben Sie?
Herr Kuschke	Drei Zimmer, Küche, Diele, Bad.
Dieter	Wieviel Miete zahlen Sie?
Herr Kuschke	Ich zahle 450 DM Miete im Monat.
Dieter	Herr Kuschke, sind Sie verheiratet?
Herr Kuschke	Ja, ich bin verheiratet.
Dieter	Haben Sie Kinder?
Herr Kuschke	Ja, ich habe einen Sohn.
Dieter	Wie alt ist er?
Herr Kuschke	Mein Sohn ist 14 Jahre alt.
Dieter	Herr Kuschke, haben Sie ein Hobby?
Herr Kuschke	Ja, ich habe ein Hobby. Ich bastele gerne.

Willi Lötzgen owns a small hotel situated in a square in Gerresheim, one of the oldest quarters of Düsseldorf. The square dates from the Middle Ages. The church was built in 1236. Mr. Lötzgen runs his hotel with his wife and two permanent staff. He hires about another twenty temporary staff as he requires them.

Dieter	Wie ist Ihr Name, bitte?
Herr Lötzgen	Ich heisse Willi Lötzgen.
Dieter	Herr Lötzgen, wie alt sind Sie?
Herr Lötzgen	Ich bin 51 Jahre alt.
Dieter	Sind Sie verheiratet?
Herr Lötzgen	Ja, ich bin seit zwölf Jahren verheiratet.
Dieter	Herr Lötzgen, haben Sie Kinder?
Herr Lötzgen	Nein, ich habe keine Kinder.
Dieter	Was sind Sie von Beruf?
Herr Lötzgen	Ich bin Gastronom und habe ein Hotel.
Dieter	Wie lange haben Sie das Hotel schon?
Herr Lötzgen	Ich habe das Hotel jetzt zwölf Jahre.
Dieter	Wieviele Zimmer hat das Hotel?
Herr Lötzgen	Das Hotel hat neunzehn Zimmer.
Dieter	Und wieviel Personal haben Sie im Hotel?
Herr Lötzgen	Wir beschäftigen zwei Mann fest und zwanzig gelegentlich.
Dieter	Herr Lötzgen, wann müssen Sie morgens aufstehen?
Herr Lötzgen	Etwa um 9 Uhr morgens stehe ich auf.
Dieter	Und wann haben Sie Feierabend?
Herr Lötzgen	Fast überhaupt nicht.
Dieter	Wohnen Sie auch im Hotel?
Herr Lötzgen	Ja, unsere Wohnung ist im Hause.
Dieter	In welcher Gegend liegt das Hotel?
Herr Lötzgen	Unser Hotel liegt hier in Gerresheim, das ist einer der ältesten Stadtteile von Düsseldorf.
Dieter	Wie alt ist der Stadtteil?
Herr Lötzgen	Der Stadtteil stammt aus dem frühesten Mittelalter.
Dieter	Können Sie uns einmal den Platz beschreiben?
Herr Lötzgen	Wir haben hier am Platz eine historische Stiftskirche, die im Jahre 1236 erbaut wurde. Dann ist am Platz ein sogenannter historischer Brunnen. Die Motive zeigen Bilder aus der Geschichte Gerresheims vom 13. Jahrhundert an bis in die heutige Zeit. Dann haben wir am Platze alte Fachwerkhäuser, die unter Denkmalschutz stehen, an den Fassaden darf nichts mehr verändert werden.
Dieter	Herr Lötzgen, was machen Sie in Ihrer Freizeit?
Herr Lötzgen	In meiner Freizeit fahre ich ganz gerne mit meiner Frau ins Grüne, auch gehe ich schon ganz gern mal schwimmen.
Dieter	Wann machen Sie Urlaub?
Herr Lötzgen	Urlaub machen wir meistens im August und fahren zur Adria nach Riccione.

Herr und Frau Mukrasch live on a barge on the Rhine. They transport coal, mineral ore, grain, gravel, sand, paper, cellulose, and travel the whole of the river and the various interconnected canals. Their favourite journey is always to Bremen, where they come from, and where the children live with their grandmother and go to school.

Corinna	Wie ist Ihr Name, bitte?
Frau Mukrasch	Mukrasch.
Corinna	Frau Mukrasch, woher kommen Sie?
Frau Mukrasch	Wir kommen aus Nordenham.
Corinna	Wo ist das denn?
Frau Mukrasch	Das ist in der Nähe von Bremerhaven an der Unterweser.
Corinna	Und wie lange liegen Sie hier im Düsseldorfer Hafen?
Frau Mukrasch	Seit Sonnabend abend.
Corinna	Wohin fahren Sie als nächstes?
Frau Mukrasch	Dann fahren wir wohl morgen nach Duisburg.
Corinna	Haben Sie Kinder?
Frau Mukrasch	Ja, eine Tochter und einen Sohn.
Corinna	Wo sind Ihre Kinder?
Frau Mukrasch	Die Tochter ist in Bremen, und der Sohn ist hier auf dem Schiff.
Corinna	Wie alt ist Ihr Sohn?
Frau Mukrasch	12 Jahre.
Corinna	Geht er in die Schule?
Frau Mukrasch	Ja, in Bremen. Dort lebt er bei seiner Oma. Nur in den Ferien ist er hier bei uns auf dem Schiff.
Corinna	Wieviele Zimmer haben Sie?
Frau Mukrasch	Drei Zimmer und eine Küche und ein kleines Bad.
Corinna	Haben Sie Fernsehen?
Frau Mukrasch	Fernsehen haben wir auch, ja.
Corinna	Was gibt es heute zum Mittagessen?
Frau Mukrasch	Heute mittag gibt es Rinderroulade, gemischtes Gemüse und Kartoffeln.
Corinna	Was haben Sie geladen?
Herr Mukrasch	Wir haben für Düsseldorf 250 Tonnen Blei geladen.
Corinna	Wieviel Tonnen können Sie insgesamt laden?
Herr Mukrasch	Das Schiff kann insgesamt 499 Tonnen laden.
Corinna	Was für Ladungen transportieren Sie ausser Blei?
Herr Mukrasch	Eigentlich alle Industriegüter.
Corinna	Was zum Beispiel?
Herr Mukrasch	Kohle, Erz, Getreide, Kies, Sand, Papier, Zellulose.
Corinna	Und welche Strecken fahren Sie normalerweise?
Herr Mukrasch	Ziemlich alle Strecken, alle Flüsse, alle Kanäle im ganzen Bundesgebiet.
Corinna	Welche Strecken fahren Sie besonders gern?
Herr Mukrasch	Ausser dem Rhein eigentlich mehr in Richtung Bremen, da sind wir zu Hause.
Corinna	Gehen Sie hier in Düsseldorf auch mal an Land?
Frau Mukrasch	Ja, nachmittags, wenn wir unsere Arbeit fertig haben, dann gehen wir auch einkaufen und ein bisschen gucken und ein Eis essen.
Corinna	Leben Sie gern an Bord oder möchten Sie lieber an Land leben?
Frau Mukrasch	Nein, ich möchte doch lieber hier sein, mein Mann ist ja hier, und es ist doch ganz schön.
Corinna	Und Sie?
Herr Mukrasch	Ich lebe ganz gern auf dem Schiff.

Fräulein Carmen Möller looks after the penguins, sea-lions and sea-elephants at Hanover Zoo. Feeding times are always popular with visitors.

Barbara	Fräulein Möller, wieviele Pinguine haben Sie hier?
Frl. Möller	Insgesamt haben wir zehn Pinguine.
Barbara	Was fressen die Pinguine?
Frl. Möller	Sie fressen Heringe.
Barbara	Wieviele Fütterungen gibt es pro Tag?
Frl. Möller	Pro Tag haben wir zwei Fütterungen.
Barbara	Wieviel frisst ein Pinguin?
Frl. Möller	Ein Pinguin frisst ungefähr sechs bis acht kleine Heringe.
Barbara	Was machen die Pinguine den ganzen Tag?
Frl. Möller	Sie schwimmen im Wasser und sind unwahrscheinlich schnell. Dann klettern sie aus dem Wasser heraus, trocknen sich und stellen sich richtig auf die Hinterfüsse. Das sieht ganz niedlich aus.
Barbara	Wieviele Seelöwen haben Sie hier?
Frl. Möller	Wir haben sechs Seelöwen.
Barbara	Was fressen die Seelöwen?
Frl. Möller	Sie fressen auch Heringe.
Barbara	Wieviel fressen sie pro Tag?
Frl. Möller	Pro Tag vier bis sechs Eimer. Ein Eimer ist ungefähr zehn Pfund.
Barbara	Haben sie gute Tischmanieren?
Frl. Möller	Na, mit dem Wasserspritzen, —ich weiss nicht!
Barbara	Was machen die Seelöwen den ganzen Tag?
Frl. Möller	O, sie spielen, wie die Pinguine, lustig im Wasser.
Barbara	Fräulein Möller, wieviele See-Elefanten haben Sie hier?
Frl. Möller	Wir haben ein Pärchen, Mann und Frau.
Barbara	Wie heissen sie?
Frl. Möller	Hansi und Emmi.
Barbara	Wieviele Heringe fressen sie pro Tag?
Frl. Möller	Der Grosse, das Männchen, frisst drei Eimer in einer Fütterung, und das Weibchen frisst zwei Eimer in einer Fütterung.
Barbara	Was machen die See-Elefanten den ganzen Tag?
Frl. Möller	Am liebsten liegen sie oben auf der Plattform und sonnen sich.
Barbara	Wieviel wiegt ein See-Elefant?
Frl. Möller	O, ein See-Elefant kann sehr gross werden und kann bis zu 500 Kilogramm wiegen. Aber unserer ist noch night ausgewachsen und wiegt höchstens 300 Kilogramm.
Barbara	Wie alt ist Ihr See-Elefant?
Frl. Möller	Unser See-Elefant ist erst 7 Jahre alt.
Barbara	Und wie alt ist seine Frau?
Frl. Möller	Sie ist erst 3 Jahre alt.
Barbara	Fräulein Möller, welche sind Ihre Lieblingstiere?
Frl. Möller	Meine Lieblingstiere sind die Seelöwen.
Barbara	Warum?
Frl. Möller	Weil sie sehr intelligent sind.

Herr Heiko Hollaender is a great sports enthusiast. He plays the Münster game of *Speckbrett*, a local version of lawn tennis, which gets its name from the *Speckbrett* or kitchen chopping board it was originally played with. He also trains regularly for the Sports Proficiency Badge, which is awarded at four different levels according to age.

Jutta	Welche Sportarten treiben Sie?
Herr Hollaender	Schwimmen, Handball, Fussball, Leichtathletik und Speckbrett.
Jutta	Speckbrett? Was ist das?
Herr Hollaender	Das ist ein Spiel, das man nur in Münster spielt. Es ist fast genauso wie Tennis, aber man spielt es auf einem Betonplatz mit einem Tennisball und einem Holzbrett, das wie ein Küchenbrett oder Speckbrett aussieht. Die Punkte zählt man wie beim Tischtennis.
Jutta	Wieviele Personen spielen da mit?
Herr Hollaender	Genauso wie beim Tennis, zwei oder vier Personen.
Jutta	Spielen nur Männer Speckbrett, oder können auch Frauen mitspielen?
Herr Hollaender	Speckbrett können Männer und Frauen spielen.
Jutta	Herr Hollaender, wie lange spielen Sie schon Speckbrett?
Herr Hollaender	Ich spiele Speckbrett seit 1969.
Jutta	Wo kann man das in Münster spielen?
Herr Hollaender	Im Sportpark auf der Sentruper Höhe.
Jutta	Ist das ein Klub?
Herr Hollaender	Nein, das ist ein Sportpark, wo jeder hingehen kann.
Jutta	Was kann man dort noch machen?
Herr Hollaender	Tennis, Ballspiele, Leichtathletik und Trimm Dich auf der Schweisstropfenbahn.
Jutta	Herr Hollaender, wie oft sind Sie auf der Sentruper Höhe?
Herr Hollaender	Ich bin fast jeden Abend zwei Stunden dort.
Jutta	Und was machen Sie in den zwei Stunden?
Herr Hollaender	Ich trainiere für das Deutsche Sportabzeichen.
Jutta	Was muss man dafür machen, Herr Hollaender?
Herr Hollaender	Man muss in fünf Sportarten vorgeschriebene Leistungen zeigen, im 100-Meter-Lauf, im 5000-Meter-Lauf, im Weitsprung, im Kugelstossen und im 300-Meter-Schwimmen.
Jutta	Kann jeder das Sportabzeichen machen?
Herr Hollaender	Ja, für Jugendliche gibt es das Jugendsportabzeichen, mit achtzehn Jahren kann man das Bronzene Sportabzeichen machen, mit zweiunddreissig Jahren das Silberne und mit vierzig Jahren das Goldene Sportabzeichen.
Jutta	Haben Sie schon das Sportabzeichen?
Herr Hollaender	Ja, ich mache es seit fünfzehn Jahren jedes Jahr neu.
Jutta	Herr Hollaender, warum treiben Sie soviel Sport?
Herr Hollaender	Es macht mir Spass, ich bleibe fit, sportlich und jung.

Herr Walter Milter is the *Turmbläser* in Celle. Twice a day for the last thirty-seven years he has climbed the 234 steps of the main church and played his trumpet to the four points of the compass. This tradition dates back to the middle ages, although exactly how it arose is uncertain.

Barbara	Herr Milter, wann blasen Sie Ihre Trompete?
Herr Milter	Morgens um zwanzig vor sieben und abends um 17 Uhr.
Barbara	Blasen Sie jeden Tag?
Herr Milter	Jeden Tag.
Barbara	Wie lange blasen Sie jedesmal?
Herr Milter	Ich blase gegen Norden, gegen Süden, gegen Osten und gegen Westen, und das dauert fünfzehn bis zwanzig Minuten.
Barbara	Welche Musik blasen Sie?
Herr Milter	Nur Bach.
Barbara	Herr Milter, wie hoch ist der Kirchturm?
Herr Milter	Zweiundsiebzig Meter und zwanzig Zentimeter.
Barbara	Und wieviele Stufen gibt es im Turm?
Herr Milter	Zweihundertvierunddreissig.
Barbara	Und Sie gehen zweimal am Tag 234 Stufen hinauf?
Herr Milter	Das ist gut für'n Trimm!
Barbara	Wie lange brauchen Sie dafür?
Herr Milter	Zehn Minuten.
Barbara	Spielen Sie auch im Winter dort oben?
Herr Milter	Ja, sogar bei 20 bis 30 Grad Kälte.
Barbara	Ist es nicht sehr kalt dort oben?
Herr Milter	O ja, ja, ja! Es ist sehr kalt da oben!
Barbara	Und warum blasen Sie jeden Tag?
Herr Milter	Das ist eine alte Tradition.
Barbara	Wieviele Jahre machen Sie das schon?
Herr Milter	Ja, siebenunddreissig Jahre.
Barbara	Und jetzt sind Sie ein berühmter Mann!
Herr Milter	Das glaube ich auch.

Dieter Lammers, who took part in many of the interviews for *Kontakte*, is a student studying geography, political economy and statistics at the university in Münster. Here he is himself interviewed about his hobby as a radio ham.

Jutta	Herr Lammers, wie alt sind Sie?
Dieter	Ich bin 25 Jahre alt.
Jutta	Was sind Sie von Beruf?
Dieter	Ich bin Student.
Jutta	Und was studieren Sie?
Dieter	Ich studiere Geographie, Volkswirtschaftslehre und Statistik.
Jutta	Wieviele Stunden in der Woche brauchen Sie für Ihr Studium?
Dieter	Ja, so zwanzig bis dreissig.
Jutta	Das ist nicht viel, was machen Sie in der freien Zeit?
Dieter	Ich mache gerne Tonbandaufnahmen, höre gerne Popmusik und bin Funkamateur.
Jutta	Wie wird man das?
Dieter	Man macht eine Prüfung bei der Post. Dann bekommt man eine Lizenz, ein Rufzeichen, und dann ist man Amateurfunker.
Jutta	Welches Rufzeichen haben Sie?
Dieter	Ich habe DK8 QL.
Jutta	Welche Geräte brauchen Sie für Ihr Hobby?
Dieter	Ich brauche einen Sender und einen Empfänger. Ich persönlich habe einen Kurzwellensender, einen Kurzwellenempfänger und einen UKW Sender und Empfänger.
Jutta	Mit wem unterhalten Sie sich denn so?
Dieter	Mit Funkamateuren auf der ganzen Erde.
Jutta	Und über was sprechen Sie?
Dieter	Wir sprechen über unser Hobby, über die Technik, über unsere Freizeit und über das Wetter.
Jutta	Und in welcher Sprache?
Dieter	Entweder in der Landessprache oder in Englisch.
Jutta	Wie lange dauert so ein Gespräch?
Dieter	Ein normales Gespräch dauert etwa drei Minuten, ein sehr interessantes Gespräch dauert bis zu zwei Stunden. Nach diesem Gespräch bekomme ich dann eine Karte des anderen Funkamateurs, die QSL Karte. Und die kann ich dann sammeln und kann sehen, mit wem ich schon gesprochen habe.
Jutta	Wieviele Karten haben Sie schon?
Dieter	Das sind bestimmt über tausend.
Jutta	Können Sie uns die weitesten Verbindungen nennen?
Dieter	Auf Kurzwelle mit Japan, mit den Philippinen, mit Südafrika, mit Südamerika, eben um die ganze Erde.
Jutta	Sprechen Sie auch manchmal mit England?
Dieter	Ja, das geht immer.
Jutta	Herr Lammers, was gefällt Ihnen eigentlich am besten an Ihrem Hobby?
Dieter	Die Kontakte mit Menschen in aller Welt.

Frau Rita Sanders and her family live in Münster. They often go cycling together at weekends, sometimes for a whole day and sometimes for half a day.

Dieter	Wie ist Ihr Name, bitte?
Frau Sanders	Rita Sanders.
Dieter	Sind Sie verheiratet, Frau Sanders?
Frau Sanders	Ja.
Dieter	Haben Sie Kinder?
Frau Sanders	Ich habe zwei Töchter.
Dieter	Wie alt sind die beiden?
Frau Sanders	12 und 10 Jahre.
Dieter	Frau Sanders, wann fahren Sie mit dem Rad?
Frau Sanders	Am Wochenende, am Samstag oder am Sonntag.
Dieter	Und wie lange fahren Sie?
Frau Sanders	O, das ist ganz unterschiedlich, manchmal einen halben Tag und manchmal auch einen ganzen Tag.
Dieter	Wann beginnen Sie eine Tagestour?
Frau Sanders	Gewöhnlich morgens um 9.
Dieter	Und was nehmen Sie alles mit?
Frau Sanders	O, einen Picknickkorb, ein Federballspiel und Regenbekleidung. Die Kinder haben kleine Rucksäcke auf dem Rücken, mein Mann hat die Kühltasche auf dem Fahrrad, und ich habe den Picknickkorb.
Dieter	Und was ist darin?
Frau Sanders	Ich sag mal das Leckerste zuerst—kaltes Huhn, Kuchen, Äpfel, Limonade und Sandwiches.
Dieter	Und wann gibt es Picknick?
Frau Sanders	Wenn wir Hunger haben, meist mittags gegen ein Uhr.
Dieter	Und was machen Sie danach?
Frau Sanders	Danach machen wir eine kurze Pause, dann spielen wir Federball, machen Handballspiele oder tun auch gar nichts.
Dieter	Fährt immer die ganze Familie mit?
Frau Sanders	Ja, wir alle vier.
Dieter	Und seit wann fahren Ihre Kinder Rad?
Frau Sanders	Seit dem dritten und vierten Lebensjahr.
Dieter	Frau Sanders, was ist für Sie eine lange Fahrt?
Frau Sanders	Vielleicht fünfzig Kilometer, fünfundzwanzig Kilometer hin und fünfundzwanzig zurück.
Dieter	Das ist schon ganz enorm.
Frau Sanders	Ja.

Grammar summary

Nouns

the (singular)	der	der Ausgang, der Zug
	die	die Schuhabteilung, die Strasse
	das	das Restaurant, das Schampoon

| the (plural) | die | die Pinguine, die Briefmarken, die Orangen |

a, an	ein	ein Orangensaft (der Orangensaft)
		ein Ei (das Ei)
		eine Tasse Tee (die Tasse)

Plurals—nouns form their plurals in various ways:

die Tasse (-n)	Zwei Tassen Tee
der Apfel (¨)	Vier Äpfel, bitte
der Wunsch (¨e)	Haben Sie sonst noch Wünsche?
der Kilometer (-)	Nur 33 Kilometer
das Hotel (-s)	Gibt es hier gute Hotels?

this	dieser Pullover	**which**	welcher Pullover?
	dieses Hemd		welches Hemd?
	diese Bluse		welche Bluse?
these	diese Schuhe		welche Schuhe?

| **my** | mein | Pullover / Hemd | **your** | Ihr | Pullover / Hemd |
| | meine | Bluse / Schuhe | | Ihre | Bluse / Schuhe |

Many occupations have masculine and feminine forms

Arzt	Ärztin	Photograph	Photographin
Beamter	Beamtin	Schüler	Schülerin
Journalist	Journalistin	Student	Studentin
Kellner	Kellnerin	Telefonist	Telefonistin
Lehrer	Lehrerin	Verkäufer	Verkäuferin

| **But** | Friseur | Friseuse |
| | Angestellter | Angestellte |

den, einen, keinen, diesen, meinen, Ihren are used with **der** words in many of the sentence patterns you have learnt:

Ich habe Wir haben	einen Garten einen Balkon keinen Garten keinen Balkon

Haben Sie	einen Stadtplan von Münster? diesen Mantel eine Nummer kleiner?

Ich möchte	einen Termin für nächste Woche diesen Reisescheck einlösen einen Pullover kaufen diesen Film entwickeln lassen diesen Anzug reinigen lassen

Könnten Sie mir	einen Aschenbecher bringen? diesen Hundertmarkschein wechseln?

Könnten Sie bitte den Luftdruck prüfen?

Ich habe meinen Pass verloren
Haben Sie Ihren Schirm gefunden?

zum, zur, nach

to the airport	zum Flughafen (der Flughafen)
to the theatre	zum Theater (das Theater)
to the town centre	zur Stadtmitte (die Stadtmitte)
to Munich	nach München

You use **zum** with **der** and **das** words; **zur** with **die** words.

Ways of travelling

Ich komme	mit dem Taxi mit dem Bus mit dem Auto	Ich gehe zu Fuss
Ich fahre	mit dem Fahrrad mit der Strassenbahn	

Pronouns

You have learnt the following forms:

Was kostet	der ? die ? das ?	Ich nehme	den die das

Was kosten	die ?	Ich nehme	die

Ich habe	meinen Schirm meine Tasche mein Portemonnaie meine Handschuhe	verloren	Habe ich	ihn sie es sie	hier liegenlassen ?

Wie sah	der Schirm die Tasche das Portemonnaie	aus ?	Er Sie Es	ist	schwarz
Wie sahen	die Handschuhe		Sie	sind	

Verbs

Basic pattern:	**kommen** (to come)	**gehen** (to go)
ich	**komme**	**gehe**
er, sie, es	**kommt**	**geht**
Sie, wir, sie	**kommen**	**gehen**

Not all verbs follow completely the basic present tense pattern:

	haben	**sein**	**nehmen**	**sehen**	**sprechen**
ich	habe	*bin*	nehme	sehe	spreche
er, sie, es	*hat*	*ist*	*nimmt*	*sieht*	*spricht*
Sie, wir, sie	haben	*sind*	nehmen	sehen	sprechen

	waschen	**lesen**	**geben**	**fahren**	**laufen**
ich	wasche	lese	gebe	fahre	laufe
er, sie, es	*wäscht*	*liest*	*gibt*	*fährt*	*läuft*
Sie, wir, sie	waschen	lesen	geben	fahren	laufen

Notice also:

	wandern	**angeln**	**segeln**	**kegeln**	**basteln**
ich	wandere	angele	segele	kegele	bastele
er, sie, es	wandert	angelt	segelt	kegelt	bastelt
Sie, wir, sie	wandern	angeln	segeln	kegeln	basteln

These verbs follow a different pattern:

	können	**wollen**	**müssen**	**mögen**
ich er, sie, es	kann	will	muss	mag
Sie, wir, sie	können	wollen	müssen	mögen

And you have also learnt these forms:

können		**mögen**	
ich könnte	könnte ich . . . ?	ich möchte	
Sie könnten	könnten Sie . . . ?	Sie möchten	möchten Sie . . . ?
wir könnten	könnten wir . . . ?	wir möchten	

gefallen, gehören, schmecken:

Der Pullover Die Hose Das Haus	gefällt gehört	mir (nicht)	Der Die Das	gefällt gehört	mir (nicht)
Die Handschuhe	gefallen gehören	mir (nicht)	Die	gefallen gehören	mir (nicht)

—and when talking about food or drink:

Schmeckt es Ihnen?		Es schmeckt mir	(gut) nicht	
Schmeckt Ihnen	der Fisch? die Suppe? das Gulasch?	Der Fisch Die Suppe Das Gulasch	schmeckt mir	(gut) nicht
Schmecken Ihnen die Würstchen?		Die Würstchen schmecken mir		

Verbs in two parts:

anfangen (to begin)	Wann **fangen** Sie morgens **an**?
ankommen (to arrive)	Wann **kommt** der Zug in Köln **an**?
aufmachen (to open)	Wann **machen** Sie morgens **auf**?
aufstehen (to get up)	Wann **stehen** Sie morgens **auf**?
fernsehen (to watch TV)	Ich **sehe** gern **fern**.
zumachen (to close)	Wann **macht** die Bank **zu**?

Notice that **an**, **auf**, **fern** and **zu** are at the end of the sentences.

Talking about the past:

Ich **habe** ein Zimmer **bestellt**
Ich **habe** meinen Schirm **verloren**
Ich **habe** meine Tasche hier **liegenlassen**
Haben Sie Ihr Portemonnaie **vergessen**?
Haben Sie ihn **gefunden**?

Each verb in these sentences has two parts. The second part comes at the end.

Word order. Notice the position of the verbs:

Statements —

Das	**ist**	Frau Zühl.
Das Reisebüro	**ist**	in der dritten Etage.
Ich	**möchte**	ein Stück Mokkatorte.
Sie	**gehen**	hier geradeaus.
Dann	**nehme**	ich das.

Questions —

	Fährt	dieser Bus nach Altencelle?
	Ist	das der Zug nach Celle?
	Haben	Sie einen Tisch für zwei?

Wie	**komme**	ich zur Autobahn nach Hannover?
Wo	**ist**	hier der Ausgang?
Wann	**fährt**	der nächste Zug nach Köln?
Was	**kostet**	eine einfache Fahrt?
Welcher Bus	**fährt**	zum Hallenbad?
Wieviele Tage	**arbeiten**	Sie in der Woche?

	Kann	ich direkt	fahren?
	Muss	ich	umsteigen?
Wo	**kann**	ich hier Geld	wechseln?
Wo	**kann**	ich hier etwas	essen?

In these sentences there are two verbs. The second comes at the end.

Ich **möchte** die Nachrichten **sehen**
Ich **möchte** diese Sachen **reinigen lassen**

Könnten Sie meine Tasche **nähen**?
Könnten Sie mir ein Taxi **bestellen**?

Kann ich die Bluse einmal **anprobieren**?
Wann **kann** ich **kommen**?

Wollen wir ins Theater **gehen**?
Wo **wollen** wir uns **treffen**?
Wie oft **muss** ich die Tabletten **nehmen**?

Numbers

null	0		sechzig	60
eins	1		siebzig	70
zwei (zwo)	2		achtzig	80
drei	3		neunzig	90

Notice the inversion
in these numbers

null	0			
eins	1			
zwei (zwo)	2	einundzwanzig	21	
drei	3	zweiundzwanzig	22	
vier	4	dreiundzwanzig	23	
fünf	5	vierundzwanzig	24	
sechs	6	fünfundzwanzig	25	
sieben	7	sechsundzwanzig	26	
acht	8	siebenundzwanzig	27	
neun	9	achtundzwanzig	28	
zehn	10	neunundzwanzig	29	

null	0			sechzig	60
eins	1			siebzig	70
zwei (zwo)	2	einundzwanzig	21	achtzig	80
drei	3	zweiundzwanzig	22	neunzig	90
vier	4	dreiundzwanzig	23		
fünf	5	vierundzwanzig	24	hundert	100
sechs	6	fünfundzwanzig	25	zweihundert	200
sieben	7	sechsundzwanzig	26	dreihundert	300
acht	8	siebenundzwanzig	27	vierhundert	400
neun	9	achtundzwanzig	28	fünfhundert	500
zehn	10	neunundzwanzig	29	sechshundert	600
				siebenhundert	700
elf	11			achthundert	800
zwölf	12	dreissig	30	neunhundert	900
dreizehn	13	einunddreissig	31		
vierzehn	14	zweiunddreissig	32	tausend	1,000
fünfzehn	15	dreiunddreissig	33	zweitausend	2,000
sechzehn	16	vierunddreissig	34	dreitausend	3,000
siebzehn	17	fünfunddreissig	35	viertausend	4,000
achtzehn	18	usw . . .	etc.	fünftausend	5,000
neunzehn	19			usw . . .	etc.
zwanzig	20	vierzig	40		
		fünfzig	50		

hunderteins	101
hundertzwei	102
zweihundertfünfundsechzig	265
dreihundertneunundachtzig	389
neunzehnhundertfünfundsiebzig	1975
vierhundertsechsunddreissigtausendsiebenhundertzweiundfünfzig	436,752

einmal	once (one of)
zweimal	twice (two of)
dreimal	three times (three of)
viermal, usw.	four times (four of), etc.

Ways of saying first, second, third, etc.:

erster	Klasse	die erste	Strasse	in der ersten	Etage
zweiter		die zweite		in der zweiten	
		die dritte		in der dritten	
		die vierte		in der vierten	

Time

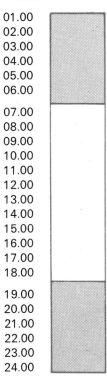

01.00	ein Uhr (morgens)
02.00	zwei Uhr (morgens)
03.00	usw.
04.00	
05.00	
06.00	
07.00	
08.00	
09.00	
10.00	
11.00	elf Uhr (vormittags)
12.00	zwölf Uhr (mittags)
13.00	ein Uhr (nachmittags); dreizehn Uhr
14.00	zwei Uhr (nachmittags); vierzehn Uhr
15.00	usw.
16.00	
17.00	
18.00	
19.00	sieben Uhr (abends); neunzehn Uhr
20.00	acht Uhr (abends); zwanzig Uhr
21.00	usw.
22.00	
23.00	
24.00	zwölf Uhr; Mitternacht; vierundzwanzig Uhr (null Uhr)

zwei Uhr dreissig
halb drei
vierzehn Uhr dreissig

neun Uhr zwanzig
einundzwanzig Uhr
zwanzig

zehn Uhr fünfzehn
Viertel nach zehn
zweiundzwanzig Uhr
fünfzehn

neun Uhr fünfund-
vierzig
Viertel vor zehn
einundzwanzig Uhr
fünfundvierzig

Wann?

um
drei
fünf Uhr nachmittags
vierzehn Uhr dreissig
halb sieben

Wie lange?

fünf Minuten	zehn Minuten	eine Stunde	zwei Stunden

eineinhalb Stunden   zweieinhalb Stunden

Wie oft?

einmal	am Tag	täglich
zweimal	in der Woche	wöchentlich
dreimal	im Monat	monatlich
viermal	im Jahr	jährlich
fünfmal		

Days, dates and months of the year

Ich möchte gern zwei Karten für Sonntag
Die Premiere ist am dreiundzwanzigsten März
Ich möchte zwei Karten für den sechsten Januar
Die Konferenz ist vom ersten bis zum dritten Mai

am
für
| Montag |
| Dienstag |
| Mittwoch |
| Donnerstag |
| Freitag |
| Samstag |
| (Sonnabend) |
| Sonntag |

am
für den
vom
bis zum

ersten Januar
zweiten Februar
dritten März
vierten April
fünften Mai
sechsten Juni
siebten Juli
achten August
neunten September
zehnten Oktober
elften November
zwölften Dezember
dreizehnten
vierzehnten
. . . usw.
neunzehnten

am
für den
vom
bis zum

zwanzigsten Januar
einundzwanzigsten
zweiundzwanzigsten
. . . usw.
dreissigsten
einunddreissigsten

Parts of the day:

der Morgen	the morning	Montag morgen	Monday morning
der Vormittag		Dienstag vormittag	Tuesday morning
der Mittag	midday	Mittwoch mittag	Wednesday midday
der Nachmittag	the afternoon	Donnerstag nachmittag	Thursday afternoon
der Abend	the evening	Freitag abend	Friday evening
die Nacht	the night	Samstag nacht	Saturday night

For 'tomorrow morning' you say **morgen früh**.

On Mondays, on Tuesdays, etc:
montags, dienstags, mittwochs, donnerstags, freitags, samstags (sonnabends),
sonntags.

Pronunciation

Each word in German is articulated clearly and distinctly, even slightly staccato. You do not run one word into the next and very few words are contracted. There are differences in pronunciation from English and 'equivalents' can only be a rough approximation, especially where vowel sounds are concerned. The only true guide is to listen to the programmes, the records or tapes, and to imitate the sounds as spoken by Germans. The major differences are listed below.

Consonants

j	pronounced like the English 'y'	ja, Jörg
v	pronounced like the English 'f'	von, vielen Dank
w	pronounced like the English 'v'	wieder, wann, auf Wiedersehen
z	pronounced like the English 'ts'	zu, Platz, Zoo
ch	after a, o, u, au, is pronounced like the 'ch' in the Scottish 'loch'; in all other cases it sounds like the initial 'h' in 'Hugh'	acht, hoch, noch ich, ich möchte
d	like the English, except at the end of a word where it's pronounced 't'	dort, da, da drüben und, sind
g	after 'i' sounds like 'h' in 'Hugh'; otherwise like the English hard 'g'	Pfennig, billig Geld, guten Morgen
sch	sounds like 'sh'	schön, hübsch
sp,st	at the beginning of a word or component of a compound word sound like 'shp', 'sht' respectively	Speisekarte, Vorspeise, Stadt, Strassenbahn, Bundesstrasse
s	before a vowel, like the English 'z'; otherwise like the English 's' in 'bus'	Sie, so, sehen, dieser das, ist, Glas

Umlaut vowels can sound short or long.

ä	(short)	('ai' as in 'air')	Äpfel
ä	(long)		fährt, spät
ö	(short)	('u' as in 'fur')	möchte, zwölf
ö	(long)		hören
ü	(short)	(There is no English equivalent even approximate! It sounds much like the French 'u', in 'tu'.)	fünf, hübsch
ü	(long)		für, Büro

Vowel combinations are always long

au	('ow' as in 'how')	Frau, auch
äu	('oy' as in 'boy')	Fräulein
eu		heute
ei	('i' as in 'nine')	nein, zwei, Reisebüro
ie	('e' as in 'he')	Sie, sieben, hier

Notes:

ß	You will often see this symbol in Germany. It is equivalent to ss and is used at the end of a word (Paß, Fuß), before a consonant (Adreßbuch), after a long vowel (Straße, Straßenbahn) or vowel combination (weiß).
ä,ö,ü	may sometimes appear as ae, oe, ue.

Key to Exercises

1 Mein Name ist Dietrich Berghof. Meine Adresse ist Körnerstrasse fünfzehn. Ja, ich habe Telefon. Die Nummer ist acht, acht, sechs, sieben, null, eins. Ich bin Schuhmacher. Mein Name ist Hildegard Bergholz. Meine Adresse ist Tulpenweg acht. Ja, ich habe Telefon. Die Nummer ist drei, eins, vier, acht, drei, sieben. Ich bin Journalistin. Mein Name ist Christa Bergmann. Meine Adresse ist Rosenbergstrasse dreiunddreissig. Ja, ich habe Telefon. Die Nummer ist fünf, fünf, drei, null, null, zwo. Ich bin Lehrerin. Mein Name ist Hermann Bergmeier. Meine Adresse ist Lindenallee sechs. Ja, ich habe Telefon. Die Nummer ist acht, eins, vier, neun, fünf, fünf. Ich bin Bankdirektor. Mein Name ist Gerhard Bergmeister. Meine Adresse ist Hasenwinkel zwölf. Ja, ich habe Telefon. Die Nummer ist sechs, eins, drei, null, sieben, sechs. Ich bin Architekt. Mein Name ist Friedrich Bergner. Meine Adresse ist Goetheplatz zwei. Ja, ich habe Telefon. Die Nummer ist drei, eins, vier, zwo, neun, fünf. Ich bin Solocellist. Mein Name ist Ilse Berkefeld. Meine Adresse ist Wilmersdorfweg achtundzwanzig. Ja, ich habe Telefon. Die Nummer ist sechs, sechs, vier, sechs, fünf, eins. Ich bin Sekretärin. Mein Name ist Ingrid Berkelmann. Meine Adresse ist Richard Wagner Strasse zweiundzwanzig. Ja, ich habe Telefon. Die Nummer ist acht, sechs, eins, neun, null. Ich bin Telefonistin. Mein Name ist Margarete Berlich. Meine Adresse ist Nobelring vierundvierzig. Ja, ich habe Telefon. Die Nummer ist vier, vier, drei, drei, fünf, vier. Ich bin Kosmetikerin. Mein Name ist Otto Berndt. Meine Adresse ist Bahnhofstrasse siebzehn. Ja, ich habe Telefon. Die Nummer ist acht, drei vier, vier, neun, eins. Ich bin Zahnarzt. Mein Name ist Karl-Heinz Bernhardt. Meine Adresse ist Koppelweg fünf. Ja, ich habe Telefon. Die Nummer ist zwo, eins, sechs, neun, fünf, acht. Ich bin Polizeibeamter. Mein Name ist Gisela Bernstein. Meine Adresse ist Steinbergstrasse neun. Ja, ich habe Telefon. Die Nummer ist vier, zwo, neun, zwo, drei, sieben. Ich bin Photographin. **2** a Wie ist Ihr Name? *or* Wie heissen Sie? Wo wohnen Sie? Wie ist Ihre Adresse? Haben Sie Telefon? Wie ist Ihre Nummer? Was sind Sie von Beruf? Wie alt sind Sie? Sind Sie verheiratet? Haben Sie Kinder? Wie alt sind Ihre Töchter?/Wie alt ist Ihr Sohn? b Mein Name ist Willi Runge *or* Ich heisse Willi Runge. Ich wohne in Augsburg. Meine Adresse ist Stegelstrasse sechsundsiebzig. Ja, ich habe Telefon. Die Nummer ist sieben, vier, zwo, acht, drei. Ich bin Postbeamter. Ich bin zweiunddreissig Jahre alt. Ja, ich bin verheiratet. Ich habe zwei Töchter. Sie sind drei und fünf Jahre alt. Mein Name ist Ulla Grubmeyer *or* Ich heisse Ulla Grubmeyer. Ich wohne in Frankfurt. Meine Adresse ist Steinweg vierzehn. Ja, ich habe Telefon. Die Nummer ist vier, acht, neun, vier, drei, eins. Ich bin Hausfrau. Ich bin neununddreissig Jahre alt. Ich bin geschieden. Ich habe einen Sohn. Er ist sechzehn Jahre alt. **3** a Wie heissen Sie? Ich heisse Monika Kustmann. Und wo wohnen Sie? Ich wohne in München. Wie lange wohnen Sie schon in München? Ich wohne schon drei Jahre in München. Was sind Sie von Beruf? Ich bin Hausfrau. Sind Sie verheiratet? Ja, ich bin verheiratet. Haben Sie Kinder? Ja, ich habe einen Sohn. Wie heisst Ihr Sohn? Er heisst Christoph. Und wie alt ist er? Er ist vier Monate alt. b Wie heissen Sie? Ich heisse Paul Bergmann. Und wo wohnen Sie? Ich wohne in Hamburg. Wie lange wohnen Sie schon in Hamburg? Ich wohne schon zweieinhalb Jahre in Hamburg.

Was sind Sie von Beruf? Ich bin Student. Sind Sie verheiratet? Nein, ich bin nicht verheiratet. c Wie heissen Sie? Ich heisse Inge Schneider. Und wo wohnen Sie? Ich wohne in Bonn. Wie lange wohnen Sie schon in Bonn? Ich wohne schon dreizehn Jahre in Bonn. Was sind Sie von Beruf? Ich bin Friseuse. Sind Sie verheiratet? Ich bin verwitwet. Haben Sie Kinder? Ja, ich habe eine Tochter und zwei Söhne. Wie heissen Ihre Kinder? Sie heissen Britta, Jörg und Horst. Und wie alt sind sie? Britta ist fünfzehn Jahre alt, Jörg ist siebzehn und Horst ist zwanzig. d Wie heissen Sie? Ich heisse Helmut Jäger. Und wo wohnen Sie? Ich wohne in Berlin. Wie lange wohnen Sie schon in Berlin? Ich wohne schon zwanzig Jahre in Berlin. Was sind Sie von Beruf? Ich bin Koch. Sind Sie verheiratet? Ich bin geschieden. Haben Sie Kinder? Ja, ich habe einen Sohn. Wie heisst Ihr Sohn? Er heisst Hans. Und wie alt ist er? Er ist neunundzwanzig Jahre alt. 4 Peter: Wann fangen Sie morgens mit der Arbeit an? Ich fange morgens um sieben Uhr an. or Wann müssen Sie in der Fabrik sein? Ich muss um sieben Uhr in der Fabrik sein. Und wann haben Sie Feierabend? Ich habe um fünfzehn Uhr Feierabend. Gerhard: Wann fangen Sie morgens mit der Arbeit an? Ich fange morgens um acht Uhr an. or Wann müssen Sie im Büro sein? Ich muss um acht Uhr im Büro sein. Und wann haben Sie Feierabend? Ich habe um sechzehn Uhr Feierabend. Angelika: Wann fangen Sie morgens mit der Arbeit an? Ich fange morgens um neun Uhr an. or Wann müssen Sie im Geschäft sein? Ich muss um neun Uhr im Geschäft sein. Und wann haben Sie Feierabend? Ich habe um achtzehn Uhr dreissig Feierabend. Martin: Wann fangen Sie morgens mit der Arbeit an? Ich fange morgens um neun Uhr an. or Wann müssen Sie in der Universität sein? Ich muss um neun Uhr in der Universität sein. Und wann haben Sie Feierabend? Ich habe um siebzehn Uhr Feierabend. Monika: Wann fangen Sie morgens mit der Arbeit an? Ich fange morgens um acht Uhr dreissig an. or Wann müssen Sie in der Bank sein? Ich muss um acht Uhr dreissig in der Bank sein. Und wann haben Sie Feierabend? Ich habe um siebzehn Uhr Feierabend. Horst: Wann fangen Sie morgens mit der Arbeit an? Ich fange morgens um sieben Uhr dreissig an. or Wann müssen Sie an der Tankstelle sein? Ich muss um sieben Uhr dreissig an der Tankstelle sein. Und wann haben Sie Feierabend? Ich habe um sechzehn Uhr dreissig Feierabend. Birgit: Wann fangen Sie morgens mit der Arbeit an? Ich fange um neun Uhr an or Wann müssen Sie im Verkehrsverein sein? Ich muss um neun Uhr im Verkehrsverein sein. Und wann haben Sie Feierabend? Ich habe um achtzehn Uhr Feierabend. Gisela: Wann fangen Sie morgens mit der Arbeit an? Ich fange um acht Uhr dreissig an. or Wann müssen Sie in der Apotheke sein? Ich muss um acht Uhr dreissig in der Apotheke sein. Und wann haben Sie Feierabend? Ich habe um achtzehn Uhr dreissig Feierabend.

 1 Herr Seeger: Ich komme aus Berlin. Ich habe zwei Wochen Urlaub im Jahr. Ich fahre in die Berge. Ich angele. Bettina Bauer: Ich komme aus Dortmund. Ich habe drei Wochen Urlaub im Jahr. Ich fahre nach Italien. Ich schwimme. Herr und Frau Dehmel: Wir kommen aus Helmstedt. Wir haben eine Woche Urlaub im Jahr. Wir fahren nach Berlin. Wir gehen in die Oper. Die Familie Wagner: Wir kommen aus Osnabrück. Wir haben dreiundzwanzig Tage Urlaub im Jahr. Wir fahren in die Schweiz. Wir laufen Ski. Kurt Hartmann: Ich komme aus Wiesbaden. Ich habe achtzehn Tage Urlaub im Jahr. Ich fahre nach

Kiel. Ich segele viel. **2 a** Woher kommen Sie? Ich komme aus München. Wieviel Urlaub hat Ihr Mann? Mein Mann hat drei Wochen Urlaub im Jahr. Wohin fahren Sie? Wir fahren in den Schwarzwald. Was machen Sie da? Wir gehen spazieren und spielen manchmal Tennis. **b** Woher kommen Sie? Ich komme aus Hamburg. Wie lange haben Sie Semesterferien? Ich habe drei Monate Semesterferien. Was machen Sie in den Semesterferien? Ich arbeite zwei Monate in einer Transportfirma und fahre vier Wochen nach Italien. Was machen Sie da? Ich schwimme und liege in der Sonne. und ich gehe manchmal ins Museum oder in die Oper. **c** Woher kommen Sie? Ich komme aus Berlin. Wieviel Urlaub haben Sie? Ich habe fünfzehn Arbeitstage Urlaub im Jahr. Wohin fahren Sie? Ich fahre mit meiner Tochter nach Travemünde. Was machen Sie da? Wir schwimmen und kegeln viel und gehen ins Kino **d** Woher kommen Sie? Ich komme aus Berlin. Wieviel Urlaub haben Sie? Ich habe drei Wochen Urlaub im Jahr. Wohin fahren Sie? Ich fahre nach Heidelberg. Was machen Sie da? Ich besuche meinen Sohn und spiele mit meiner Enkeltochter. **3** Ich spiele Golf. Ich spiele Schach. Ich kegele viel. Ich spiele Gitarre. Ich photographiere viel. Ich sehe fern. Ich lese viel. Ich fahre mit dem Rad. Ich reite viel. Ich arbeite im Garten. **4** Kiel, viel, Haus, Klaus, Bier, vier.

1 Herr Misselhorn ist Tankwart. Fräulein Bergmann ist Empfangsdame. Herr Dr. Pape ist Arzt. Fräulein Wolf ist Kellnerin. Herr Horst ist Busfahrer. Herr Dr. Kuhnast ist Apotheker. Fräulein Mech ist Sekretärin. Herr König ist Lehrer. Herr Fuhrmann ist Telefonist. Herr Göllnitz ist Taxifahrer. Sie ist Sekretärin. Er ist Arzt. Er ist Tankwart. Er ist Busfahrer. Er ist Apotheker. Er ist Lehrer. Er ist Telefonist. Sie ist Kellnerin. Er ist Taxifahrer. Sie ist Empfangsdame. **2** Herr Herms: Richtig. Richtig. Falsch, er ist Empfangspförtner. Falsch, er arbeitet zehn Stunden am Tag ausser freitags. Falsch, er fährt mit dem Bus zur Arbeit. Richtig. Falsch, er hat dreissig Tage Urlaub. Falsch, er hat eine Tochter und einen Enkelsohn. Hans-Hermann Brüning: Falsch, er ist schon achtzehn Jahre alt und wird in zwei Wochen neunzehn. Richtig. Falsch, er lernt Vermessungstechniker. Falsch, er arbeitet etwa acht Stunden am Tag. Richtig. Falsch, er verdient 470 DM brutto und 370 DM netto. Richtig.

1 Wie ist Ihr Name? Wo wohnen Sie? Wohnen Sie gerne dort? Was für eine Gegend ist das? Wie wohnen Sie? Wieviele Zimmer haben Sie? Haben Sie einen Garten? Haben Sie einen Balkon? Wieviel Miete zahlen Sie? Gefällt Ihnen die Wohnung? **2** Sie wohnt in Hamburg. Sie wohnt in einer Mietwohnung. Sie hat neun Zimmer. Sie zahlt 850 DM und ab nächsten Monat 1.500 DM Miete. Sie hat drei Kinder. Ja, alle drei Kinder gehen schon in die Schule. Isabel ist 11 Jahre alt. Herr Graw ist fünfundvierzig Jahre alt. Ja, sie ist Krankengymnastin. Sie fährt nach Travemünde.

2 Helmut Jäger, Inge Schneider, Helmut Jäger, Herr Kustmann, Paul Bergmann, Inge Schneider, Helmut Jäger, Herr und Frau Kustmann, Inge Schneider, Inge Schneider, Herr Kustmann, Helmut Jäger, Herr und Frau Kustmann, Paul Bergmann, Helmut Jäger.

Key to comprehension: Lesen und Verstehen

21

die Ernte	the harvest
ich prüfe, ob das Getreide reif ist	I'm checking to see if the corn is ripe
Hafer, Roggen, Weizen, Sommergerste	oats, rye, wheat, summer barley
Schmalz	lard
Kohl	cabbage
Landwirt	farmer

22

die Spielzeugwelt	model world
habt ihr gelesen oder gehört?	have you read or heard?
die hat dann immer zu bestimmen	she's the one who takes all the decisions
die Betriebswirtschaft	business management
die Urkunde	document
ein teurer Spass	an expensive entertainment

23

anstrengend	tiring
er wird gut bezahlt	it's well paid
wie ertragen Sie den Lärm?	how do you stand the noise?
Gehörschutz	ear-plugs
Skat	card game
häkeln	crocheting
Schornsteinfeger	chimney-sweep
Süssigkeiten und Sonstiges	sweets and such like

24

zu beschwerlich	too much bother
mich ernähren	feed myself
Erfolg	success
einige Bekannte	some friends
vor allem reich	above all rich
ich bin in der Fachschaft meines Fachs tätig	I'm active in my department's union
Erwachsenenbildung	adult education
Gewerkschaft	trade union

25

Massengüter	bulk goods
Braunkohle, Steinkohle	lignite, pit-coal
Autoteile, Eisenschrott	car parts, scrap-iron
Schluss macht	finishes
vor allen Dingen	above all

Key to comprehension: Hören und Verstehen

21 ihnen scheint die Fahrt sehr viel Spass zu machen — they seem to be finding the ride a lot of fun
für Autos gesperrt — closed to cars
bunte Fahnen — brightly coloured flags
die Strassenbeleuchtung ist gelöscht — the street lighting is out

22 recht herzlich begrüssen — warmly welcome
welche Aufgaben haben Sie? — what are your jobs?
ich bin am Mischpult tätig — I work at the mixer
die Kindersendung besteht aus ... — the children's programme consists of ...
bekannt geworden sind — became known
Spenden — donations

23 alles, was zum Bett gehört — everything to do with beds
Kopfkissen — pillows
Wolldecken — blankets
woraus besteht ein Federbett? — what does a feather duvet consist of?
Daunen — down
woher bekommen Sie die Federn? — where do you get the feathers from?
Sie wählen das Inlett aus — you choose the ticking
aus reiner Baumwolle — of pure cotton

24 mit vielen Wäldern, Äckern und Wiesen — with a lot of woods, arable land and fields
das Herdfeuer — open fireplace
dass uns keiner stört — that no-one disturbs us
Gurken — cucumbers
grüne Böhnchen — French beans
gebrauchen — to use
Pflaumenbäume — plum trees
Birnbäume — pear trees
einsam — lonely

25 welche Arten von Ballons gibt es? — what sort of balloons are there?
Heissluftballons — hot air balloons
wird mit Wasserstoff gefüllt — is filled with hydrogen
bedeckter Himmel — overcast sky
woran erinnern Sie sich besonders gerne? — what do you remember with particular pleasure?
Glückauf! — come up safely!
Glückab! — come down safely! happy landings!
ziehen — to pull

Glossary

This glossary is a combined vocabulary of the complete course. Plural forms of nouns are given in brackets. Abbreviations are: (m.) masculine; (f.) feminine; (sing.) singular; (pl.) plural. The meanings given apply only to the sense in which the German words are used in the texts.

A

der Aasee   *lake in Münster*
ab   *from*
der Abend (-e)   *evening;*   Guten Abend!
   Good evening!;   heute abend   *this*
   evening;   morgen abend   *tomorrow*
   evening
das Abendessen (-)   *evening meal*
das Abendkleid (-er)   *evening dress*
   abends   *in the evening*
   aber   *but; also used for emphasis:*   das
   tut mir aber leid!   *I am sorry!*
   abfahren   *to leave (by means of transport)*
   abholen   *to collect*
   ablegen: legen Sie ab!   *take off your coat*
   abstellen   *to switch off*
der Abzug (⁼e)   *copy*
die Adresse (-n)   *address*
die Adria   *Adriatic*
der Affe (-n)   *monkey, ape*
die Affenmutter (⁼)   *monkey mother*
   aktiv   *active*
die aktuelle Kunst   *contemporary art*
   alle: alle drei Stunden   *every three hours*
die Allee (-n)   *avenue*
   allerdings   *of course, indeed*
   allerhand   *all kinds of*
   alles   *everything, all;*   alles mögliche
   all sorts of things;   alles, was . . .
   everything that . . .
   Allgemeinmedizin   *general practice*
die Alpen   *the Alps*
   also   *so*
   alt   *old*
die Altstadt   *old part of a city*
das Alter   *age*
   am   *at the, on, on the, by the;*
   am besten   *best*
   Amerika   *America*
   amerikanisch   *American*
   amüsieren: sich amüsieren   *to enjoy*
   oneself
   an   *at, on, to;*   an welches Material
   hatten Sie gedacht?   *what material*
   were you thinking of?
   anbieten   *to offer*

   andere, anderen, anderes   *other, another*
der Anfang (⁼e)   *beginning*
   anfangen   *to start, to begin;*   wann
   fangen Sie morgens an?   *when do you*
   start in the mornings?
   angeln   *to fish*
   angemeldet: Sie sind bei mir angemeldet
   your appointment is with me
   angenehm   *agreeable, pleasant*
der Angestellte (-n) ein Angestellter
   employee (m.)
die Angestellte (-n)   *employee (f.)*
die Ankunft   *arrivals*
   ankommen   *to arrive;*   wann kommt der
   Zug an?   *when does the train arrive?*
   anprobieren   *to try on*
   anrufen   *to ring up;*   dann rufe ich noch
   einmal an   *I'll ring back then*
   anstellen   *to switch on*
die Antwort (-en)   *answer*
der Anzug (⁼e)   *suit*
der Apfel (⁼)   *apple*
die Apotheke (-n)   *chemist's shop, pharmacy*
der Apotheker (-)   *chemist*
   April   *April*
   Appetit: Guten Appetit!   *Enjoy your meal!*
die Appretur   *special finish;*   möchten Sie
   darein Appretur haben?   *would you like*
   it with special finish?
das Aquarell (-e)   *water colour*
die Arbeit   *work*
   arbeiten   *to work;*   ich arbeite gern
   I like working;   was arbeiten Sie?
   what work do you do?
der Arbeitstag (-e)   *working day*
der Architekt (-en)   *architect*
die Arie (-n)   *aria*
der Arm (-e)   *arm*
die Armbanduhr (-en)   *wristwatch*
der Armreifen (-)   *bracelet*
die Art (-en)   *kind, style*
der Arzt (⁼e)   *doctor (m.)*
die Ärztin (-nen)   *doctor (f.)*
der Aschenbecher (-)   *ashtray*
das Aspirin   *aspirin*
die Assistentin (-nen)   *assistant (f.)*
das Atriumhaus (⁼er)   *house with inner*
   courtyard
   attraktiv   *attractive*
   auch   *too, also, as well;*   auch noch   *as*
   well
   auf   *on, at, open;*   auf welchen Namen?
   and the name?
   aufgeben   *to send*
   aufgeschlossen   *open (of personality)*
   aufmachen   *to open;*   wann machen Sie
   auf?   *when do you open?*
   aufs: aufs Zimmer   *in our room*

der Aufschnitt *sliced cold meat and/or sausage*

aufstehen *to get up*

der Aufzug (¨e) *lift*

der Augenblick: einen Augenblick, bitte! *one moment please!*

aus *out, out of, made of, from*

die Ausbildung (-en) *training*

ausfüllen *to fill in*

der Ausgang (¨e) *exit*

ausgebucht *fully booked*

ausgeschlossen *excluded*

die Auskunft (¨e) *information*

der Auslandsschalter (-) *foreign counter*

der Aussenhandel *foreign business*

ausser *except*

ausserdem *apart from that, in addition*

äussern: wie äussern sich denn . . . ? *what are the symptoms of . . . ?*

ausverkauft *sold out*

das Auto (-s) *car*

die Autobahn (-en) *motorway*

der Automechaniker (-) *car mechanic*

der Autoverleih *car hire*

B

das Baby (Babies) *baby*

der Bäcker (-) *baker*

das Bad (¨er) *bath*

der Bahnbeamte (-n) ein Bahnbeamter *railway official*

der Bahnhof (¨e) *railway station*

die Bahnhofsgaststätte (-n) *station restaurant*

die Bahnhofshalle (-n) *station concourse, booking hall*

der Bahnhofsvorplatz (¨e) *station forecourt*

der Balkon (-e) *balcony*

der Ballettabend (-e) *ballet evening*

die Banane (-n) *banana*

die Bank (-en) *bank*

Bank Dir.: der Bankdirektor (-en) *bank manager*

Der Barbier von Sevilla *The Barber of Seville (opera by Rossini)*

basteln *to make things (as a hobby)*

der Batist (-e) *batiste, cambric*

die Batterie (-n) *battery*

bauen *to build, make*

das Bauernhaus (¨er) *farmhouse*

der Bauernhof (¨e) *farm*

das Bauernomelett (-s) *lit: farmer's omelette rather like Spanish omelette*

das Bauingenieurwesen *civil engineering*

der Beamte (-en) ein Beamter *civil servant (m.)*

die Beamtin (-nen) *civil servant (f.)*

die Bedienung *service*

beginnen *to begin*

die Begrüssung (-en) *welcome*

beheizt *heated*

bei *at, with, near;* bei Barbara *at Barbara's;* bei uns *at our house*

beige *beige*

beim *at the*

beinahe *nearly*

das Beispiel (-e) *example;* zum Beispiel *for example, abbreviated z.B.*

die Bekannte (-n) *acquaintance, friend (f.)*

bekommen *to get, to receive*

belegt *fully booked*

die Benutzung *use*

bereiten *to prepare*

bereits *already*

der Berg (-e) *mountain*

ein Berliner (-) *a person from Berlin*

der Beruf (-e) *occupation;* was sind Sie von Beruf? *what's your job?*

besohlen *to sole (of shoes)*

besonders *particularly*

besser *better;* wenn es nicht besser wird *if it doesn't get better*

bestellen *to order, book*

bestellt: ich habe . . . bestellt *I've booked . . .*

besten: am besten *best*

der Besuch (-e) *visit*

der Besucher (-) *visitor*

besuchen *to visit*

das Bett (-en) *bed*

der Beutel (-) *bag*

bezahlen *to pay*

die Bibliothek (-en) *library*

biegen: dort biegen Sie links ab *there you turn left*

das Bier *beer*

der Bikini (-s) *bikini*

das Bild (-er) *picture, print*

billig *cheap*

Billigeres: etwas Billigeres *something cheaper*

bin: ich bin *I am*

bis *till;* bis wann? *by when?;* bis zum/zur *to the, as far as the;* von acht bis zehn *from eight to ten*

bisschen: ein bisschen *a little, a bit*

bitte, bitte schön, bitte sehr *please, not at all;* bitte schön? *can I help you?*

die Blasmusik *brass-band music*

blau *blue*

bleiben *to stay*

die Blockflöte (-n) *recorder*

die Blume (-n) *flower*

der Blumenladen (¨) *flower shop*

die Bluse (-n) *blouse*

die Bohne (-n) *bean*
die Bötchenfahrt (-en) *trip on a small boat*
der Boss (-e) *boss*
botanisch *botanical*
die Boutique (-n) *boutique*
die Brasil (-zigarre, *pl.* -n) *Brazilian (cigar)*
brauchen *to need*
braun *brown*
Braunschweig *Brunswick*
der Brie *Brie cheese*
der Brief (-e) *letter*
die Briefmarke (-n) *postage stamp*
die Brille (-) *(pair of) glasses*
bringen *to bring*
das Brot (-e) *bread*
das Brötchen (-) *bread roll*
die Brücke (-n) *bridge*
das Bruttogehalt (-er) *gross income*
das Buch (-er) *book*
die Buchhändlerin (-nen) *bookseller (f.)*
die Bühne (-n) *stage*
die Bundesautobahn (-en) *federal motorway*
die Bundesbahn *Federal Railway*
die BRD: Bundesrepublik Deutschland *German Federal Republic*
die Bundesstrasse (-n) *federal highway*
der Bungalow (-s) *bungalow*
das Büro (-s) *office*
der Bus (-se) *bus*
der Busfahrer (-) *busdriver*
die Butter *butter*

C
das Café (-s) *coffee shop, café*
der Charakter (-e) *disposition, character*
charmant *charming*
der Chef (-s) *boss*
der Chor (-e) *choir*
die Chrysantheme (-n) *chrysanthemum*

D
da *here, there, then, as;* da drüben *over there*
dabei *there, as well;* haben Sie das Zettelchen dabei? *have you got the ticket with you?*
dadrin *in it*
dafür *for it, for that*
dahin *(to) there*
die Dame (-n) *lady;* Damen *Ladies' (toilets);* Damenmoden *ladies' fashions*
die Damenabteilung (-en) *ladies' department*
Dank: herzlichen Dank!, recht schönen Dank! *thank you very much;* vielen Dank! *many thanks!*

danke! *thank you!* danke schön/danke sehr! *thank you very much!;* danke vielmals! *many thanks!* ich danke Ihnen! *lit. I thank you!*
danken *to thank;* nichts zu danken *not at all*
dann *then*
daraus *from it, out of it*
darein: möchten Sie darein Appretur haben? *would you like it with special finish?*
darf: darf ich Ihnen helfen? *may I help you?;* darf es die sein? *is this one (f.) all right?;* darf es noch etwas sein? *anything else?;* darf ich das mal sehen? *may I see it?;* was darf es sein? *what would you like?*
das *the, that, this one, that one*
dauern *to last*
davon *of it, of them*
dazu *with it, in addition, besides*
dem *the, this one, that one;* in dem *in which*
den *the, this one, that one*
denn *for, because, well then*
der *the, this one, that one, who*
deutsch *German*
Deutsche Mark (DM) *German Mark*
Deutschland *Germany*
dick *fat*
die *the, this one, that one, these, those, she*
die Diele (-n) *hall*
der Dienstag *Tuesday*
dienstags *on Tuesdays*
dies, diese, diesen, dieser, dieses *this*
diese *(pl.) these*
direkt *direct*
die Diskothek (-en) *discotheque*
die Diskussion (-en) *discussion, debate*
doch: *word used for emphasis;* da ist doch nichts Interessantes *there's nothing interesting there*
der Dollar (-s) *dollar*
der Donnerstag *Thursday*
donnerstags *on Thursdays*
das Doppelhaus (-er) *two-family house*
das Doppelzimmer (-) *double room*
dort *there;* dort drüben *over there*
dorthin *(to) there*
die Dose (-n) *tin*
das Dragee (-s) *pill*
das Drama (Dramen) *play*
drankommen: könnte ich jetzt drankommen? *could I have it done now?*
draussen *out of doors;* hier draussen *out here*

dreimal   *three times (three of)*
dreizehnjährig   *13-year old*
drin   *in it*
dritte, dritten   *third*
die Drogerie (-n)   *chemist's shop*
drüben   *over there*
dunkel   *dark*
durch   *through*
durcheinanderstehen   *mixed together*
der Durchfall   *diarrhoea*
durchwählen   *to dial direct*
dürfte: es dürfte nicht ganz einfach sein   *it might not be very easy*
die Dusche (-n)   *shower*

E

eben   *just*
die Ecke (-n)   *corner*
der Edamer   *Edam cheese*
das Ei (-er)   *egg*
eigen   *own*
eigentlich   *really*
das Eigentum   *property*
das Eigentumshaus (¨er)   *owner-occupied house*
die Eigentumswohnung (-en)   *owner-occupied flat*
ein, eine, einen, einer, einem   *a, an, one*
eineinhalb   *one and a half*
einfach   *simple, easy;*   eine einfache Fahrt   *a single journey*
das Einfamilienhaus (¨er)   *one-family house*
eingebügelt: möchten Sie da die Falten eingebügelt haben?   *would you like it repleated?*
eingerichtet   *furnished*
einige   *some*
einkaufen   *to go shopping*
das Einkaufszentrum (-tren)   *shopping centre*
das Einkommen (-)   *income*
einlösen   *to change (a traveller's cheque)*
der Eingang (¨e)   *entrance*
einmal   *once (one of);*   auf einmal   *all at the same time; also a filler word:*   darf ich dann einmal Ihren Namen wissen?
eintragen: tragen Sie sich bitte ein   *would you sign the register please?;*   ich trage es ein   *I'll enter it in the book*
einverstanden!   *agreed!*
das Einzelhaus (¨er)   *detached house*
einzeln: ein einzeln stehendes Haus   *detached house*
das Einzelzimmer (-)   *single room*
das Eis   *ice cream*
der Elefant (-en)   *elephant*
der Elektroinstallateur (-e)   *electrical fitter*

die Elektronik   *electronics*
der Emmentaler   *Emmental cheese*
die Empfangsdame (-n)   *receptionist*
der Empfangspförtner (-)   *commissionaire*
empfehlen   *to recommend*
das Ende   *end;*   wann ist es zu Ende?   *what time does it finish?*
englisch   *English*
das Enkelkind (-er)   *grandchild*
der Enkelsohn (¨e)   *grandson*
die Enkeltochter (¨)   *granddaughter*
entfernt   *distant;*   3 km von der Stadt entfernt   *3 Km from the town*
entlang   *along*
entschuldigen: entschuldigen Sie bitte!   *excuse me please!*
entwickeln   *to develop*
er   *he, it*
erbaut: ist erbaut worden   *was built*
das Erdgeschoss (-e)   *ground floor*
ernst   *serious*
erst   *only, not till*
erste, ersten, erster   *first*
es   *it*
essen   *to eat;*   essen gehen   *to go out for a meal*
das Essen (-)   *meal*
das Esszimmer (-)   *dining room*
die Etage (-n)   *floor, storey*
etwa   *approximately*
etwas   *something, rather;*   etwas teurer   *a bit more expensive;*   noch etwas   *one more thing*
evangelisch   *protestant*
der Exportkaufmann (-leute)   *export salesman*
Express   *express*

F

die Fabrik (-en)   *factory, works*
der Fahrplan (¨e)   *timetable*
der Fahrer (-)   *driver*
der Fahrgast (¨e)   *passenger*
die Fahrt (-en)   *journey, drive*
das Fahrrad (¨er)   *bicycle*
das Fahrzeug (-e)   *car, vehicle*
falsch   *wrong*
die Falte (-n)   *pleat*
der Faltenrock (¨e)   *pleated skirt*
die Familie (-n)   *family*
die Familienfeier (-n)   *family gathering*
das Familienmitglied (-er)   *member of the family*
die Farbe (-n)   *colour*
fast   *almost*
faulenzen   *to laze around*
Februar   *February*

Feierabend: wann haben Sie Feierabend?
when do you finish work?
fein *fine*
das Fenster (-) *window*
die Ferien *(pl.)* *holidays*
fernsehen *to watch television;* ich sehe
fern *I watch television*
das Fernsehen *television*
der Fernseher (-) *television set*
das Fernsehprogramm (-e) *television
programme*
der Fernsehraum (÷e) *television room*
fertig *ready*
fest *steady*
der Film (-e) *film*
filmen *to make films*
der Filter (-) *filter*
finden *to find*
findet: ... findet um 11 Uhr statt
... takes place at 11 o'clock
finnisch *Finnish*
die Firma (Firmen) *firm, business*
der Fisch (-e) *fish*
der Fischmarkt (÷e) *fish market*
die Flasche (-n) *bottle*
das Fleisch *meat*
fliegen *to fly*
der Flug (÷e) *flight*
der Flughafen (÷) *airport*
der Flugplan (÷e) *plane timetable*
das Formular (-e) *form*
der Franc (-s) *franc (French currency)*
der Franken (-) *franc (Swiss currency)*
die Frage (-n) *question*
französisch *French*
die Frau (-en) *woman, wife;* Frau Lyon
Mrs. Lyon
das Fräulein *girl;* Fräulein Mech *Miss
Mech;* Fräulein! *Miss! (when
calling the waitress)*
frei *free*
das Freibad (÷er) *open-air swimming pool*
Freien: im Freien *in the open*
freischaffend *freelance*
der Freitag *Friday*
freitags *on Fridays*
die Freizeit *spare time*
fremd *strange, foreign;* ich bin hier
fremd *I'm a stranger here*
die Fresie (-n) *freesia*
freue: ich freue mich *I look forward to it*
die Freundin (-nen) *girl friend*
freundlich *kind;* sehr freundlich von
Ihnen! *that's very kind of you!*
der Friseur (-e) *hairdresser, barber*
die Friseuse (-n) *hairdresser (f.)*
früh *early*
früher *formerly, earlier*

das Frühjahr *spring*
Frühlings-Erwachen *Spring Awakening
(play by Wedekind)*
das Frühstück *breakfast;* zum Frühstück
for breakfast
der Frühstücksraum (÷e) *breakfast room*
das Frühstückszimmer (-) *breakfast room*
fühlen: wir fühlen uns da so wohl *we are
very happy there*
das Fundbüro (-s) *lost-property office*
fünfmal *five times (five of)*
der Fünfzigmarkschein (-e) *50-mark note*
der Funk *radio*
der Funkamateur (-e) *radio ham*
für *for;* was sind das für Zimmer? *what
kind of rooms are they?*
fürs *for the*
Fuss: zu Fuss *on foot*
der Fussball *football*
fahren *to drive, to go (by means of
transport)*
fährt: wann fährt der Zug? *when does the
train go?* fährt dieser Bus nach ...?
does this bus go to ...?

G

ganz *very, quite, whole, all*
die Garage (-n) *garage*
gar: gar nicht *not at all;* gar kein
Zimmer mehr frei *no rooms left at all*
garantieren *to guarantee*
der Garten (÷) *garden*
der Gast (÷e) *guest*
das Gästezimmer (-) *guest room*
das Gasthaus (÷er) *pub*
die Gaststätte (-n) *restaurant*
geben *to give*
die Gebühr (-en) *fee*
gedacht: an welches Material hatten Sie
gedacht? *what material were you
thinking of?*
gefahren: ich bin gefahren *I went, drove*
gefallen: gefallen sie Ihnen? *do you
like them?;* die gefallen mir *I like
them*
gefällt: gefällt er Ihnen? *do you like it?;*
er gefällt mir *I like it*
gefunden: haben Sie ... gefunden? *have
you found ...?*
gegen *against;* gegen 5 Uhr *about
5 o'clock;* etwas gegen Halschmerzen
something for a sore throat
die Gegend (-en) *district*
gegenüber *opposite*
gehen *to go*
gehören *to belong to*
geht: das geht! *that's OK!*

107

die Geige (-n)   *violin*
gelb   *yellow*
das Geld   *money*
gemacht: wir haben gemacht   *we made;*
   wird gemacht!   *right away!*
gemahlen   *ground (coffee)*
gemeinsam   *joint, together*
gemischt   *mixed*
das Gemüse (-)   *vegetable*
die Gemüsehandlung (-en)   *greengrocer's*
   shop
genau   *just, exactly*
geöffnet   *open*
die Geographie   *geography*
das Gepäck   *luggage*
der Gepäckschalter (-)   *luggage counter*
gerade   *now, at the moment*
geradeaus   *straight ahead*
die Germanistik   *German studies*
gern, gerne   *of course, certainly;*   ich
   möchte gerne . . .   *I'd like . . .;*   ich
   schwimme gern   *I like swimming*
das Geschäft (-e)   *shop, place of business*
geschieden   *divorced, separated*
geschlossen   *closed*
geschnitten   *cut, sliced*
gestern   *yesterday*
die Gesundheit   *health*
getrennt   *separate*
geworden: ist geworden   *became*
gibt: es gibt   *there is, there are;*   gibt es
   hier in der Nähe . . . ?   *is there near*
   here . . . ?
die Gitarre (-n)   *guitar*
glänzend   *glossy*
das Glas (¨er)   *glass*
glauben   *to think, believe*
gleich   *immediately, same, similar;*
   gleich links/rechts   *just here on the*
   left/right;   wie ist noch gleich Ihr
   Name?   *what is your name again?*
das Gleis (-e)   *platform*
glücklich   *happy, happily*
das Gold   *gold*
das Golf   *golf*
die Götterspeise (-n)   *kind of pudding; lit:*
   food of the gods
das Gramm   *gramme*
gratis   *free*
grau   *grey*
grob   *coarse*
gross   *big, great*
die Grösse (-n)   *size, height*
grösser   *bigger, larger*
grün   *green;*   ins Grüne   *into the*
   country
das Grün   *green, greenery*
das Gulasch   *goulash*

die Gulaschsuppe (-n)   *goulash soup*
die Gummisohle (-n)   *rubber sole*
gut   *good, well*
gutsituiert   *comfortably off*
das Gymnasium (-ien)   *grammar school*

H
haben   *to have*
halb: ein halbes Pfund   *half a pound;*
   halb drei   *half past two*
die Halle (-n)   *hall*
das Hallenbad (¨er)   *indoor swimming pool*
Hallo!   *hallo!*
die Hals- Nasen- Ohrenleiden *(pl.)*   *throat,*
   nose and ear complaints
die Halsschmerzen *(pl.)*   *sore throat*
halten: halten Sie sich rechts!   *keep to the*
   right
die Hand (¨e)   *hand*
handarbeiten   *to do handicrafts*
der Handschuh (-e)   *glove*
die Handtasche (-n)   *handbag*
Hannover   *Hanover*
hat   *has*
hätte: da hätte ich hier . . .   *I have here . . .*
der Hauptbahnhof (¨e)   *main railway station*
der Haupteingang (¨e)   *main entrance*
die Hauptpost   *main post office*
das Haus (¨er)   *house;*   zu Hause   *at home;*
   nach Hause   *(to) home;*   . . . ist
   leider nicht im Hause   *. . . isn't in I'm*
   afraid
die Hausfrau (-en)   *housewife*
der Hausmeister (-)   *caretaker (m.)*
die Hausmeisterin (-nen)   *caretaker (f.)*
der Hausschlüssel (-)   *front door key*
die Hauswirtschaft   *housekeeping*
die Havanna (-s)   *Havana (cigar)*
die Heirat (-en)   *marriage*
heissen   *to be called;*   ich heisse . . .
   my name is . . . ;   das heisst   *i.e.,*
   that is
die Heizung   *heating*
helfen   *to help*
heller   *brighter, lighter*
das Hemd (-en)   *shirt*
der Hemdenpullover (-)   *V-necked sweater*
her: das ist drei Tage her   *it was three*
   days ago
heraus   *out*
herein   *in, into*
hereinholen   *to bring in*
der Herr (-en)   *man, Mr.;*   Herr Krödel   *Mr.*
   Krödel;   Herren   *'Gents' (toilets);*
   Herrenmoden   *men's fashions*
die Herrenabteilung (-en)   *men's department*
herrlich   *splendid, magnificent*

herstellen *to produce, to draw up*
herunter *down*
heute *today;* heute abend *this evening;* heute nachmittag *this afternoon;* heute nacht *tonight;* heute vormittag *this morning*
hier *here*
hin *to;* hin und zurück *there and back*
hiermit *with this*
hinaus: der Page kommt mit hinaus *the bell-boy will come out with you*
hinter *behind*
hinunter *down*
historisch *historical*
das Hobby (Hobbies) *hobby*
hoch: die Strasse hoch *up the street*
der Holländer *Dutch cheese*
die Holzkrücke (-n) *curved wooden handle*
hören *to hear, listen to*
die Hochseefahrt (-en) *boat trip on the sea*
die Hose (-n) *pair of trousers*
das Hospital (¨er) *hospital*
das Hotel (-s) *hotel*
der Hotelinhaber (-) *hotel proprietor*
das Hotelzimmer (-) *hotel room*
hübsch *pretty*
humorvoll *humorous*
der Hundertmarkschein (-e) *100-mark note*
der Hut (¨e) *hat*
die Hyazinthe (-n) *hyacinth*

I
ich *I*
der Idealpartner (-) *ideal partner*
die Idee (-n) *idea*
ihm *(to/for) him*
ihn *him, it*
Ihnen *(to/for) you*
ihr *her, (to/for) her*
Ihr, Ihren, Ihre, Ihrer *your*
im *in the*
immer *always*
in *in, to*
die Innenstadt (¨e) *town centre*
der Inhalt (-e) *contents*
inklusive *inclusive*
ins *into the, to the;* ins Grüne *into the country*
intelligent *intelligent*
der Intercity *Inter-City (train)*
Interessantes: nichts Interessantes *nothing interesting*
das Interesse (-n) *interest*
interessiere: ich interessiere mich für Elektronik *I am interested in electronics*
interessiert *interested*

der Internist (-en) *specialist in internal diseases*
irgendwo *somewhere*
ist *is*
isst *eats*
Italien *Italy*
italienisch *Italian*

J
ja *yes, well*
die Jacke (-n) *jacket*
das Jackett (-e) *jacket*
das Jahr (-e) *year*
jährlich *yearly*
japanisch *Japanese*
je!: o je! *oh dear!*
das Jägerschnitzel *escalope in chasseur sauce; lit: hunter's escalope*
jawohl! *yes!*
die Jeans (pl.) *jeans*
jede, jeden, jeder, jedes *each, every*
jetzt *now*
das Jugendstück (-e) *children's play*
der Job (-s) *job*
der Journalist (-en) *journalist (m.)*
Juli *July*
jüngste: unsere jüngste Tochter *our youngest daughter*

K
der Kabeljau (-s) *cod*
das Kabeljaufilet (-s) *cod fillet*
die Kabine (-n) *fitting room*
der Kaffee *coffee*
die Kaffeepause (-n) *coffee break*
die Kaffeebar (-s) *coffee bar, coffee shop*
das Kalbfleisch *veal*
die Kamera (-s) *camera*
der Kamm (¨e) *comb*
das Kammerkonzert (-e) *chamber music concert*
kann: kann ich . . . ? *can I . . . ?* kann ich Ihnen helfen? *can I help you?*
das kann sein *it could be*
das Kännchen (-) *small pot*
die Kantine (-n) *canteen*
kaputt *worn out*
die Karotte (-n) *carrot*
die Karte (-n) *ticket, card, map*
die Kartoffel (-n) *potato*
der Käse (-) *cheese*
die Käsesahne (-torte, pl. -n) *cheese cake, gateau*
die Kasse (-n) *cash desk*
der Kassenpreis (-e) *seat price*
katholisch *catholic*
kaufen *to buy*
das Kaufhaus (¨er) *department store*

der Kaufmann (Kaufleute) *shopkeeper*
kegeln *to play skittles, go bowling*
kein, keine, keinen *no, not any*
der Keller (-) *cellar*
der Kellner (-) *waiter*
die Kellnerin (-nen) *waitress*
kennen *to know*
die Kette (-n) *necklace*
das Kilo *kilogramme*
der *or* das Kilometer (-) *kilometre*
das Kind (-er) *child*
der Kindergarten (-) *kindergarten*
das Kinderheim (-e) *children's home*
kinderlos *childless*
das Kinderzimmer (-) *nursery*
das Kino (-s) *cinema*
die Kirche (-n) *church*
die Klasse (-n) *class;* Klasse! *great!*
klassisch *classical*
das Klavier (-e) *piano*
das Kleid (-er) *dress*
der Kleiderbügel (-) *coat-hanger*
klein *little, small*
kleiner *smaller*
klimatisiert *air-conditioned*
knobeln *to play dice*
der Knoblauch *garlic*
der Koch (-e) *cook*
kochen *to cook*
der Koffer (-) *suitcase*
die Kollegin (-nen) *colleague (f.)*
Köln *Cologne*
komisch *comic*
die Komödie (-n) *comedy*
kommen *to come;* Sie kommen . . . an
you arrive . . . ; wie kommen Sie
hierher? *how do you get here?*
kommt: wann kommt der Zug an? *when
does the train arrive?*
der Komponist (-en) *composer*
der Konditor (-en) *confectioner, pastry cook*
die Konditorei (-en) *café, cake shop*
die Konferenz (-en) *conference*
können *to be able to*
könnte: könnte ich . . . ? *could I . . . ?*
könnten: könnten Sie . . . ? *could
you . . . ?* könnten wir . . . ?
could we . . . ?
der Kontakt (-e) *contact*
das Konzert (-e) *concert*
die Konzertkarte (-n) *concert ticket*
die Kopfschmerzen (pl.) *headache*
die Kosmetik *cosmetics*
die Kosmetikerin (-nen) *beautician*
kosten *to cost*
kostenlos *free*
der Kragen (-) *collar*
die Krankengymnastin (-nen) *physiotherapist*

das Krankenhaus (-er) *hospital*
der Krankenschein (-e) *medical certificate*
die Krawatte (-n) *tie*
der Kredit (-e) *loan*
das Kreditbüro (-s) *customer account office*
der Kreis (-e) *district*
kreuzen: kreuzen Sie an *mark with a cross*
die Kreuzung (-en) *cross roads*
der Krimi (-s) *detective film/story*
der Kriminalroman (-e) *detective story*
die Küche (-n) *kitchen*
der Kuchen (-) *cake*
der Küchenchef (-s) *head cook*
der Kunde (-n) *customer (m.)*
die Kundin (-nen) *customer (f.)*
die Kunsthalle (-n) *art gallery*
der Kurs (-e) *rate of exchange*
kurz *short, quickly, briefly;* ich fahre
kurz nach Hause *I go home for a short
while;* kurz vor acht *just before eight*

L
die Landesbehörde (-n) *regional authority*
die Landschaft (-en) *the landscape*
der Landwirt (-e) *farmer*
landwirtschaftlich *agricultural*
lang, lange *long, for a long time*
langsam *slowly*
lassen *to have (something) done, to let;*
ich möchte diese Sachen reinigen
lassen *I'd like to have these things
cleaned*
läuft: im Kino läuft ein guter Film *there's
a good film on at the cinema*
leben *to live*
das Leben *life*
die Lebensmittel (pl.) *food*
die Lebensmittelabteilung (-en) *food
department*
das Lebensmittelgeschäft (-e) *grocer's shop*
die Leber *liver*
die Leberwurst *liver sausage*
das Leder *leather*
die Ledersohle (-n) *leather sole*
ledig *unmarried, single*
lege: ich lege mich in die Sonne *I lie in
the sun*
legen *to set;* ich möchte mir das Haar
legen lassen *I'd like to have my hair
set*
die Lehre *apprenticeship, training*
der Lehrer (-) *teacher (m.)*
die Lehrerin (-nen) *teacher (f.)*
der Lehrling (-e) *apprentice, trainee*
leicht *lightweight*
leid: das tut mir aber leid! *I'm so sorry!*
leider *unfortunately*

leiten *to conduct*
lesen *to read*
letzt *last;* im letzten Jahr *last year*
die Leute (pl.) *people*
lieben *to love*
lieber *rather, preferably;* ich spiele
 lieber Tennis *I prefer to play tennis*
der Liebesroman (-e) *love story*
das Lied (-er) *song*
die Liegekarte (-n) *sleeper ticket*
liegen *to lie, be situated*
liegenlassen: habe ich . . . liegenlassen?
 did I leave . . . behind?
der Lift (-s) *lift*
die Linie (-n) *number (of bus or tram route)*
links *(to the) left;* auf der linken Seite
 on the left hand side
der Lippenstift (-e) *lipstick*
die Lira (Lire) *lira (Italian currency)*
die Literatur (-en) *literature*
der Luftdruck (⁻e) *tyre pressure*
Lust: haben Sie Lust . . . ? *would you
 like . . . ?*
der Lummerbraten (-) *roast loin*

M

machen *to make, do*
was macht das? *how much does that
 come to?*
mag: ich mag gern . . . *I like . . .*
die Magenbeschwerden (pl.) *stomach upset*
mal: *sometimes, by* 7 mal 10 *7 by 10;
 also a filler word:* darf ich das mal
 sehen?
Mal: zum letzten Mal *for the last time*
malen *to paint*
man *one/you*
der Manager (-) *manager*
manchmal *sometimes*
das Mandolinenorchester *mandolin orchestra*
Manitou: Wir suchen Manitou *We're
 Looking for Manitou (children's play by
 Axt/Lorenz)*
der Mann (⁻er) *man, husband*
der Mantel (⁻) *coat*
die Mark (-) *mark (currency)*
das Material (-ien) *material*
der Markt (⁻e) *market*
die Marmelade (-n) *jam*
die Maschine (-n) *plane*
die Matineevorstellung (-en) *matinée*
matt *matt*
das Medikament (-e) *medicine*
das Meeting (-s) *meeting*
mehr *more*
mehrere *several*
die Mehrwertsteuer *VAT*

mein, meine, meinen *my, mine*
meist *most;* die meisten Studenten
 most students
meistens *mostly, usually*
der Mensch (-en) *person (pl. people)*
das Messegelände *site of trade fair*
der or das Meter (-) *metre*
die Mettwurst *salami-type sausage*
die Metzgerei (-en) *butcher's shop*
mich *me*
die Miete (-n) *rent*
das Mietshaus (⁻er) *rented house*
die Mietwohnung (-en) *rented flat*
die Milch *milk*
der Mini (-s) *Mini (car)*
die Minute (-n) *minute*
das Minutensteak (-s) *minute steak*
mir *(to/for) me*
mit *with*
der Mittag *midday*
zu Mittag *at lunchtime*
mittags *around midday*
das Mittagessen *lunch, midday meal*
die Mittagspause (-n) *lunch break*
die Mitte (-n) *middle, centre*
die Mitternacht *midnight*
der Mittwoch *Wednesday*
die Möbel (pl.) *furniture*
möbliert *furnished*
möchte: ich möchte . . . *I'd like . . .*
möchten: wir möchten . . . *we'd like . . . ;*
 möchten Sie . . . ? *would you
 like . . . ?;* möchten Sie lieber . . . ?
 would you prefer . . . ?; so wie ich
 möchte *as I like*
modern *modern*
mögen *to like;* mögen Sie gern . . . ?
 do you like . . . ?
möglich *possible;* alles mögliche *all
 sorts of things*
möglichst: möglichst schnell *as soon as
 possible*
die Mokkatorte (-n) *mocca, coffee gateau*
der Moment (-e) *moment*
der Monat (-e) *month*
monatlich *monthly*
der Montag *Monday*
montags *on Mondays*
morgen *tomorrow;* morgen abend
 tomorrow evening; morgen mittag
 midday tomorrow
der Morgen *morning;* Guten Morgen!
 Good morning!
morgens *in the mornings*
der Mosel (-wein) *Moselle (wine)*
das Motiv (-e) *subject, theme*
das Motorrad (⁻er) *motorbike*
München *Munich*

der Mund (¨er) *mouth*
die Münze (-n) *coin*
das Museum (Museen) *museum*
die Musik *music*
die Musiksendung (-en) *music programme*
  musizieren *to make music*
  muss: muss ich? *do I have to? must I?*
  müssen *to have to*
die Mutter (¨) *mother*
  Mutter Courage *Mother Courage (play by Brecht)*

N

nach *to, after*
der Nachmittag (-e) *afternoon*
  nachmittags *in the afternoons*
die Nachrichten (pl.) *news*
  nachschauen *to look;* ich schaue mal nach *I'll have a look*
  nachsehen *to look;* wollen wir mal nachsehen? *shall we just have a look?*
die Nacht (¨e) *night;* Gute Nacht! *Good night!*
der Nachtisch *dessert*
  nächste, nächsten *next, nearest*
die Nähe *neighbourhood;* in der Nähe *nearby*
  nähen *to stitch, sew*
der Name (-n) *name;*
  nämlich *actually*
die Natur *nature;* in der freien Natur *out in the country*
  natürlich *naturally, of course*
  neben *next to*
  nebenher *on the side*
  nee *no*
  nehmen *to take;* nehmen Sie Platz! *do sit down!*
  nein *no*
  nett *nice*
  netto *net*
die Nelke (-n) *carnation*
  neu *new*
  neun *nine*
der Neurologe (-n) *neurologist*
  nicht *not*
der Nichtraucher (-) *non-smoker*
  nichts *nothing*
  nie *never*
  niedlich *nice, sweet (of something small)*
  noch *also, still, another;*
    auch noch *as well;*
    noch einmal, nochmal *once more;*
    noch etwas *one more thing;*
    noch ein paar *a few more;*
    noch zwei Tage *two more days;*
    noch nicht *not yet*

die Nordsee *North Sea*
das Normal *economy grade petrol*
  normalerweise *usually*
der Notdienst (-e) *emergency service*
  null *nought*
die Nummer (-n) *number, size*
  nun *now, well*
  nur *only, just*
die Nurse *nanny*

O

o! *oh!*
ob *whether*
oben *above, on top, up river*
der Ober (-) *waiter; lit: head waiter;* Herr Ober! *Waiter!*
das Obergeschoss (-e) *upper floor*
der Obermaschinist (-en) *machine foreman*
das Obst *fruit*
  oder *or*
  offiziell *official*
  oft *often*
  ohne *without*
  Oktober *October*
das Öl (-e) *oil*
die Oper (-n) *opera*
die Operette (-n) *operetta*
der Opernbesuch (-e) *visit to the opera*
das Opernhaus (¨er) *opera-house*
die Orange (-n) *orange*
der Orangensaft *orange juice*
das Orchester (-) *orchestra*
die Orchidee (-n) *orchid*
  Ordnung: in Ordnung *OK;* das geht in Ordnung! *that's OK*
der Ort (-e) *place*
die Ostsee *Baltic Sea*
  Ost *east*
  Österreich *Austria*

P

  paar: noch ein paar . . . *a few more . . .*
  packe: ich packe es Ihnen zusammen *I'll wrap it up for you*
die Packung (-en) *packet*
die Pädagogik *educational studies*
der Page (-n) *bell-boy*
die Panne (-n) *breakdown;* ich habe eine Panne *my car's broken down*
das Papiertaschentuch (¨er) *paper handkerchief*
das Paprikagemüse (-) *vegetable dish with paprika*
  parken *to park*
das Parkett *stalls*

das Parkhaus (¨er) *garage with parking*
das Parkhochhaus (¨er) *multi-storey car park*
der Parkplatz (¨e) *car park*
der Partner (-) *partner*
die Party (Parties) *party*
der Pass (¨e) *passport*
die Passkontrolle *passport control*
die Patientin (-nen) *patient (f.)*
die Pension (-en) *boarding house*
   Perlimplin: In seinem Garten liebt Don
      Perlimplin Belisa *lit: In his garden Don*
      Perlimplin loves Belisa (opera by
      Fortner)
die Person (-en) *person*
der Pfennig (-e) *pfennig (1/100 of a mark)*
der Pferdedieb (-e) *horse-rustler*
der Pfirsich (-e) *peach*
das Pfund *pound (currency), pound (500 gr.)*
die Philosophie *philosophy*
die Photoabteilung (-en) *photographic*
    department
die Photoartikel *(pl.)* *photographic*
    equipment
das Photogeschäft (-e) *photographer's shop*
der Photograph (-en) *photographer (m.)*
die Photographin (-nen) *photographer (f.)*
   photographieren *to photograph*
das Pils *type of beer*
der Pinguin (-e) *penguin*
der Plan (¨e) *map*
die Plastik (-en) *plastic*
der Plattenspieler (-) *record player*
der Platz (¨e) *square, place, seat;* bitte
   nehmen Sie Platz! *do sit down!*
   wenn Sie noch einen Moment Platz
   nehmen wollen bitte *if you'd like to*
   take a seat for a moment please
die Platzkarte (-n) *ticket for reserved seat*
die Politik *politics*
der Popelin (-e) *poplin*
der Polizeibeamte (-n) ein Polizeibeamter
   police official
der Polizist (-en) *policeman*
die Pommes frites *(pl.)* *chipped potatoes*
die Popmusik *pop music*
das Portemonnaie (-s) *purse*
der Portier (-s) *hotel porter*
die Post *post, post office*
das Postamt (¨er) *post office*
der Postbeamte (-n) ein Postbeamter *post*
   office official
die Postkarte (-n) *postcard*
die Postleitzahl (-en) *postal code*
die Postsachen *(pl.)* *things sent by post,*
   postal matter
der Praktiker (-) *practitioner*
die Praxis *medical practice*
   preiswert *cheap, good value*

die Premiere (-n) *premiere*
   prima! *great!, super!*
der Prinzipalmarkt *main street in Münster*
   pro *per*
der Problemfilm (-e) *documentary*
das Programm (-e) *programme*
die Promenade (-n) *promenade*
der Prospekt (-e) *booklet, brochure*
das Prospektchen (-) *leaflet*
   prüfen *to check*
der Pudding (-e) *pudding*
der Pullover (-) *pullover*
   pünktlich *punctually*

Q
die Quittung (-en) *receipt*

R
das Rad (¨er) *bicycle;* ich fahre Rad *I go*
   cycling
das Radio (-s) *radio*
das Radioprogramm (-e) *radio programme*
der Rang (¨e) *circle;* I Rang *dress circle;*
   II Rang *upper circle;* III Rang
   gallery
das Rathaus (¨er) *town hall*
der Rathaussaal (-säle) *large room,*
   auditorium in town hall
Die Ratten *The Rats (play by Hauptmann)*
der Ratskeller (-) *restaurant named after, and*
   often in, the cellar of the town hall
der Raucher (-) *smoker*
der Raum (¨e) *area*
   'raus *out (short for heraus)*
die Rechnung (-en) *bill*
   recht *really, very;* ist es so recht? *is it*
   all right like this?; ist Ihnen diese
   Grösse recht? *is this size all right for*
   you? das ist recht *that's right*
   rechts *(to the) right;* auf der rechten
   Seite *on the right hand side*
   regelmässig schwimmen gehen ist gesund
   to go swimming regularly is healthy
der Regierungspräsident (-en) *head of*
   district administration
die Reihe (-n) *row*
   'rein *into (short for herein)*
   reinigen *to clean*
die Reinigung *dry-cleaner's*
die Reise (-n) *journey;* auf Reisen *away*
   (travelling)
das Reisebüro (-s) *travel agency*
der Reisescheck (-s) *traveller's cheque*
   reiten *to ride*
der Reitklub (-s) *riding club*
   reservieren *to book*

das Restaurant (-s) *restaurant*
die Rezeption *reception*
der Rhein *Rhine*
der Rheinhessen (-wein) *Rhinehessen (wine)*
der Rheinwein (-e) *Rhine wine*
richtig *correct, right*
die Richtung (-en) *direction;* in der gleichen Richtung *in the same direction*
der Rock (¨e) *skirt*
der Rollkragen (-) *roll-collar*
die Rolltreppe (-n) *escalator*
Rom *Rome*
der Roman (-e) *novel*
der Romméklub (-s) *rummy club*
der Röntgenologe *radiographer*
rosa *pink*
die Rose (-n) *rose*
rot *red*
der Rotwein (-e) *red wine*
die Rückfahrkarte (-n) *return ticket*
Ruhe! *quiet!*
ruhig *peaceful, quiet*
'runter *down (short for* herunter*)*

S

die Sache (-n) *thing*
die Sacher (-torte, *pl.* -n) *type of chocolate gateau*
sagen *to say;* sagen wir *let's say*
sah: wie sah der Schirm denn aus? *what did the umbrella look like?*
sahen: wie sahen sie aus? *what did they look like?*
die Sahne *cream*
das Sahnesteak (-s) *steak with cream sauce*
der Salat (-e) *salad*
der Salon (-s) *hotel lounge*
sammeln *to collect*
der Samstag *Saturday*
samstags *on Saturdays*
die Satellitenstadt (¨e) *satellite town*
die Sauna (-s) *sauna*
das Schach *chess*
schade! *pity!* wie schade! *what a pity!*
der Schaffner (-) *guard*
die Schallplatte (-n) *record*
der Schalter (-) *counter*
das Schampoon, Schampun *shampoo*
schaue: ich schaue mal eben nach *I'll just have a look*
der Schein (-e) *note (currency)*
schicken *to send*
der Schinken *ham*
der Schirm (-e) *umbrella*

schlafen *to sleep*
schläft *sleeps, is asleep*
das Schlafzimmer (-) *bedroom*
schlank *slim, slender*
schlecht *bad*
das Schloss (¨er) *castle*
das Schlosstheater *castle theatre*
der Schlüssel (-) *key*
schmecken; schmecken Ihnen die Würstchen? *do you like the sausages?;* die Würstchen schmecken mir *I like the sausages*
schmeckt: schmeckt Ihnen der Wein? *do you like the wine?;* der Wein schmeckt mir *I like the wine*
schmutzig *dirty*
das Schnäpschen *small (glass of) schnapps*
schneiden *to cut*
schnell *fast;* möglichst schnell *as soon as possible*
die Schokolade (-n) *chocolate*
schon *already;* der ist schon sehr gut *that's quite nice;* ich wohne schon zehn Jahre in Münster *I have lived in Münster for ten years*
schön *nice, beautiful* ist schön *that's fine*
schreiben *to write*
der Schuh (-e) *shoe*
die Schuhabteilung (-en) *shoe department*
der Schuhmacher (-) *shoe-maker·*
die Schule (-n) *school*
der Schüler (-) *schoolboy*
die Schülerin (-nen) *schoolgirl*
schwarz *black*
der Schwarzwald *the Black Forest*
die Schwarzwälder Kirschtorte *'Black Forest' cherry gateau*
der Schwarzweissfilm (-e) *black and white film*
der Schwiegersohn (¨e) *son-in-law*
das Schweinefleisch *pork*
die Schweineleber *pig's liver*
die Schweiz *Switzerland*
schweizer *Swiss*
der Schweizer (-käse) *Swiss cheese*
das Schwimmbad (¨er) *swimming pool*
schwimmen *to swim*
die See (-n) *the sea*
segeln *to sail*
sehen *to see*
sehr *very, very much*
sein *to be*
sein, seine, seiner, seinen, seinem *his*
seit: seit fünfzehn Jahren *for fifteen years*
die Seite (-n) *side, page*
Sekr. *short for* Sekretärin
die Sekretärin (-nen) *secretary*

selber *self;* das bereite ich selber *I get it myself*

selbst *self;* ich selbst *I myself*

selbstverständlich! *of course, certainly!*

die Semesterferien *(pl.)* *holidays (university or college)*

das Seminar (-e) *seminar;* Seminare besuchen *to attend seminars*

die Sendung (-en) *programme*

senior *senior*

der Sherry *sherry*

die Short-Story (-Stories) *short story*

sie *she, her, it, they, them*

Sie *you*

sind *are*

die Sinfonie (-en) *symphony*

singen *to sing*

sitzen *to sit*

Skilaufen *to ski*

das Skilaufen *skiing*

so *so, well, like this; also used as a filler word:* so gegen 13 Uhr *round about 1 o'clock*

das Sofa (-s) *sofa*

sofort *immediately, right away*

sogar *even*

sogenannt *so-called*

die Sohle (-n) *sole*

der Sohn (⁻e) *son*

soll: was für ein Zimmer soll das sein? *what kind of room were you thinking of?;* wo soll das Hotel denn liegen? *where would you like the hotel to be?*

sollen: sollen wir es da mal versuchen? *shall we try there?*

sollte: sollte er . . . sein? *would you like . . . ? lit: should it be . . . ?;* welche Farbe sollte es sein? *what colour should it be?*

sollten: davon sollten Sie zwei nehmen *you should take two of them*

der Solocellist (-en) *solo cellist*

der Sommer *summer*

die Sommerferien *(pl.)* *summer holidays*

das Sonderangebot (-e) *special offer*

die Sonne (-n) *sun*

die Sonnenbrille (-n) *(pair of) sunglasses*

der Sonnentag (-e) *sunny day*

die Sonnenterrasse (-n) *sun-terrace*

der Sonntag *Sunday*

sonntags *on Sundays*

sonst: sonst noch etwas? *anything else?*

die Sorte (-n) *sort, kind*

die Sozialwohnung (-en) *council flat*

die Spaghetti *(pl.)* *spaghetti*

Spanien *Spain*

später *later*

der Spätsommer (-) *late summer*

spazierenfahren *to go for a drive*

der Spaziergang (⁻e) *walk, stroll*

spazierengehen *to go for a walk*

die Speisekarte (-n) *menu*

die Spezialität (-en) *speciality*

spielen *to play*

der Sport (-arten) *sport;* Sport treiben *to go in for sport*

die Sportabteilung (-en) *sports department*

die Sportanlage (-n) *sports ground*

die Sportartikel (pl.) *sports equipment*

der Sportplatz (⁻e) *sports ground*

die Sportlehrerin (-nen) *games mistress*

der Sportraum (⁻e) *gym*

die Sport-Reportage (-n) *sports report*

die Sportsendung (-en) *sports programme*

die Sportveranstaltung (-en) *sporting event*

sprechen *to speak;* ich möchte Fräulein Hansen sprechen *I'd like to speak to Miss Hansen*

die Sprechstunde *surgery;* ich möchte gerne in die Sprechstunde *I'd like to see the doctor/have a consultation*

die Sprechstundenhilfe (-n) *doctor's assistant*

spricht *speaks*

der Staat (-en) *state*

die Stadt (⁻e) *town*

die Stadtbücherei (-en) *public library*

städtische: die städtische Kunsthalle *municipal art gallery*

die Stadtmitte (-n) *town centre*

der Stadtpark (-s) *municipal park*

der Stadtplan (⁻e) *town map*

die Stadtrundfahrt (-en) *city sightseeing tour*

der Stadtteil (-e) *district in a town*

das Stadtzentrum (ren) *town centre*

der Stammtisch (-e) *table reserved for regular guests, regular gathering of friends at café, pub, etc.*

die Statik *statics*

stehen *to stand;* wir haben unser Fernsehen im Frühstückszimmer stehen *our television is in the breakfast room*

steht: was steht denn auf dem Programm? *what's on the programme?*

stelle: ich stelle Ihnen dafür eine Quittung aus *I'll make you out a receipt for it*

die Stimme (-n) *voice*

stimmt: das stimmt so *that's all right (when leaving a tip)*

das Stipendium (-ien) *scholarship*

der Stock (-werke) *floor;* im ersten Stock *on the first floor*

der Strand (⁻e) *beach*

die Strasse (-n) *street, road*

die Strassenbahn (-en)   *tram*
der Strom   *electricity*
der Strumpf (-̈e)   *stocking*
das Stück (-e)   *piece, part;*   5 DM das Stück
    5 marks each;   100 Stück Aspirin   *100*
    aspirins
der Student (-en)   *student (m.)*
die Studentenetage (-n)   *floor of house*
    rented by students
das Studentenwohnheim (-e)   *students'*
    hostel
die Studentin (-nen)   *student (f.)*
die Studienbeihilfe (-n)   *student grant*
    studieren   *to study*
das Studium (-ien)   *studies, attendance at*
    university
die Stunde (-n)   *hour*
    stündlich   *hourly*
    suchen   *to look for*
    Süddeutschland   *Southern Germany*
    süffig   *drinkable (of wine)*
    Super   *high grade petrol*
der Supermarkt (-̈e)   *supermarket*
die Suppe (-n)   *soup*
    süss   *sweet*
    Süsses   *sweet things*
die Süsswaren   *sweets, confectionery*
die Symphonie (-n)   *symphony*
das Symphoniekonzert (-e)   *symphony*
    concert

T

die Tabakwaren   *tobacco goods (cigarettes,*
    cigars etc.)
die Tablette (-n)   *tablet*
der Tag (-e)   *day;*   Guten Tag!   *Good day!*
    täglich   *daily*
    tanken   *to fill up (petrol tank)*
die Tankstelle (-n)   *petrol station*
der Tankwart (-e)   *petrol-pump attendant*
    tanzen   *to dance*
die Tasche (-n)   *bag*
die Tasse (-n)   *cup*
die Tätigkeit (-en)   *occupation, profession*
das Taxi (-s)   *taxi*
der Taxifahrer (-)   *taxi driver*
der Taxistand (-̈e)   *taxi rank*
der Techniker (-)   *technician, engineer*
der Tee   *tea*
die Teepause (-n)   *tea break*
die Teewurst   *type of soft sausage, lit: tea*
    sausage
der Teil (-e)   *part;*   zum Teil   *partly;*
    zum grössten Teil   *for the most part*
    teilen   *to share*
das Telefon (-e)   *telephone*
    telefonieren   *to telephone*

der Telefonist (-en)   *telephonist (m.)*
die Telefonistin (-nen)   *telephonist (f.)*
die Telefonzelle (-n)   *telephone booth*
das Telegramm (-e)   *telegramme*
    Teletips für die Gesundheit   *TV health*
    tips (title of TV programme)
der Teller (-)   *plate*
    temperamentvoll   *lively, vivacious*
das Tennis   *tennis*
der Termin (-e)   *appointment*
die Terrasse (-n)   *terrace*
    teuer   *expensive*
    teurer   *more expensive*
    tippen   *to type*
das Theater (-)   *theatre*
die Theaterbar (-s)   *theatre bar*
der Theaterbesuch (-e)   *visit to the theatre*
die Theaterkarte (-n)   *theatre ticket*
die Theaterkasse (-n)   *theatre box-office*
das Tier (-e)   *animal*
der Tisch (-e)   *table*
das Tischtennis   *table tennis*
die Tochter (-̈)   *daughter*
    Tod: Dantons Tod   *Danton's Death (play*
    by Büchner)
die Toilette (-n)   *toilet*
    tolerant   *tolerant*
die Tomate (-n)   *tomato*
die Tonbandaufnahme (-n)   *tape recording*
die Torte (-n)   *cake, gateau*
    trage: ich trage es ein   *I'll enter it in the*
    book
    tragen   *to wear, carry;*   tragen Sie sich
    bitte ein   *would you sign the*
    register please?
die Tragetasche (-n)   *carrier-bag*
die Tragikomödie (-n)   *tragicomedy*
die Tragödie (-n)   *tragedy*
die Transportfirma (-en)   *haulage firm*
die Trauben (pl.)   *grapes*
    traurig   *miserable*
    treffen: sich treffen   *to meet;*   wo treffen
    wir uns?, wo wollen wir uns treffen?
    where shall we meet?
der Treffpunkt (-e)   *meeting-point*
    Treffpunkt-Ü-Wagen 4   *Meeting Point*
    OB (outside broadcast) Van 4
    (title of TV programme)
    treiben: Sport treiben   *to go in for sport*
die Treppe (-n)   *staircase*
    trimm: Trimm Dich   *keep fit*
    trinken   *to drink*
das Trinkgeld (er)   *tip*
die Trompete (-n)   *trumpet*
    Tschüs!   *'bye!*
das T-Shirt (-s)   *T-shirt*
    tun   *to do;*   was darf/kann ich für Sie
    tun?   *what may/can I do for you?*

der Tunnel (-) *tunnel*
die Tür (-en) *door*
die Türkei *Turkey*
tut: das tut mir aber leid! *I'm so sorry!*
die Tüte (-n) *carton, bag*
der Typ (-e) *type*

U

übel: mir ist übel *I feel sick*
über *over, across, about*
der Überblick (-e) *survey*
übernachten *to stay overnight*
die Übung (-en) *exercise*
Uhr: um neun Uhr *at nine o'clock*
um *round, around;* um 10 Uhr *at 10 o'clock*
umsehen: ich möchte mich nur umsehen *I'm just looking*
umsteigen *to change (trains, trams, buses)*
und *and*
ungefähr *approximately*
die Universität (-en) *university*
uns *to/for us, ourselves;* wo treffen wir uns? *where shall we meet?*
unser, unsere, unserer *our*
unten *below, underneath*
unter *under*
das Untergeschoss (-e) *basement*
unterhalten: sich unterhalten *to talk;* wir unterhalten uns *we chat*
die Unterhaltungsmusik *light music*
die Unterhaltungssendung (-en) *light entertainment programme*
unternehmen *to undertake*
unterschiedlich *different, variable*
unterschreiben *to sign*
unterst *lowest*
untypisch *untypical, unusual*
unterrichten *to teach*
der Urlaub (-e) *holiday, leave;* im Urlaub *on holiday*

V

der Vater (-̈) *father*
die Verabredung (-en) *date*
verdienen *to earn*
die Vereinbarung (-en) *arrangement*
vergessen *to forget;* ich habe . . . vergessen *I've forgotten . . .;* die Karten nicht vergessen! *don't forget the tickets!*
verhältnismässig *quite, relatively;* verhältnismässig gern gehe ich . . . *I quite like going . . .*
verheiratet *married*

Verkauf von Spirituosen an Jugendliche unter 18 Jahren gesetzlich verboten! *The sale of spirits to young persons under the age of 18 is against the law!*
verkaufen *to sell*
der Verkäufer (-) *shop assistant (m.)*
die Verkäuferin (-nen) *shop assistant (f.)*
der Verkehrsverein *tourist office*
verlobt *engaged*
verloren: ich habe verloren *I've lost*
vermessen *to measure, to survey*
der Vermessungstechniker (-) *land surveyor*
verreisen *to travel*
verschieden: das ist verschieden *it varies*
der Verstärker (-) *amplifier*
verstehen *to understand*
versuchen *to try;* versuchen Sie es bitte einmal im Hamtor Hotel *try the Hamtor Hotel*
der Verwaltungsangestellte (-n) ein Verwaltungsangestellter *government employee, civil servant (m.)*
verwitwet *widowed*
viel *much, a great deal, a lot*
viele, vielen *many*
vielleicht *perhaps*
viermal *four times (four of)*
vierte, vierten *fourth*
das Viertel *quarter*
die Violine (-n) *violin*
das Vitamin (-e) *vitamin*
die Volksmusik *folk music*
Volkstanz der Welt, Türkei *Folkdance of the World, Turkey (title of TV programme)*
voll *full*
volltanken *to fill up (petrol tank)*
von *from, of, by*
vor *in front of, before*
vorbei *past;* ich komme vorbei *I'll call in*
vorbestellen *to order (in advance), book*
vorhaben *to have an engagement;* haben Sie heute abend etwas vor? *are you doing anything this evening?*
vorhanden *available*
die Vorlesung (-en) *lecture*
vorm *in front of the*
der Vormittag (-e) *morning*
vormittags *in the mornings*
der Vorname (-n) *Christian name*
vorne: da vorne *in front there*
der Vorort (-e) *suburb*
vorschlagen *to suggest;* dann würde ich vorschlagen *then I'd suggest*
die Vorstellung (-en) *performance*
die Vorwählnummer (-n) *dialling code*

W

der Wagen (-) *car*

wandern *to go on long walks, hiking*

wahrscheinlich *probably*

wann? *when?*

war *was*

wäre: hier wäre . . . *here for example is . . .*

waren: es waren *there were*

warten *to wait*

Warschau *Warsaw*

das Wartezimmer (-) *waiting-room*

was? *what?;* was für . . . ? *what kind of . . . ?;* das, was *that which*

waschen *to wash*

das Wasser *water;* Bitte nichts ins Wasser werfen, Tiere gehen sonst ein! *Please do not throw anything into the water, or the animals will perish!*

das WC *wc, toilet*

wechseln *to change (money, etc.)*

die Wechselstube (-n) *exchange office, bureau de change*

wecken *to wake (someone)*

der Weg (-e) *way*

weichgekocht *soft-boiled*

der Wein (-e) *wine*

der Weinbrand *brandy*

die Weinhandlung (-en) *wine shop*

die Weinkarte (-n) *wine list*

die Weintrauben *(pl.) grapes*

weiss: ich weiss es nicht *I don't know*

weiss *white*

der Weisswein (-e) *white wine*

weit *far*

weiter *further*

welche?, welcher?, welchen?, welches? *which?*

das Wellenbad (-er) *swimming pool with artificial waves*

wenn *if, when, whenever*

wer? *who?*

weil *because*

werde: ich werde mal nachsehen *I'll just have a look;* ich werde in zwei Wochen 19 *I'll be 19 in two weeks*

werden *to become, turn out*

das Werk (-e) *work*

die Werkskantine (-n) *works canteen*

West *west*

der Westen *the West*

der Western (-) *Western (film)*

das Wetter *weather*

der Whisky *whisky*

wie *as*

wie? *how?*

wieder *again;* wann ist sie wohl wieder da? *when is she likely to be back?;*

dann komme ich dann wieder *then I'll come back then*

die Wiederholung (-en) *revision*

Wiederhören: Auf Wiederhören! *Goodbye! (on phone)*

Wiedersehen: Auf Wiedersehen! *Goodbye!*

das Wiener Schnitzel *Vienna escalope*

wieviel?, wieviele? *how much?, how many?;* um wieviel Uhr? *at what time?*

will: ich will . . . *I want to . . .;* ich will es versuchen *I'll see what I can do*

wir *we*

wird: wird gemacht! *right away!;* wenn es nicht besser wird *if if doesn't get better;* . . . wird das Gepäck hereinholen . . . *will bring in the luggage*

wirklich *really*

der Wirtschaftsingenieur (-e) *financial accountant, economist*

wissen *to know;* darf ich dann einmal Ihren Namen wissen? *may I have your name then please?*

der Witwer (-) *widower*

wo? *where?*

die Woche (-n) *week*

das Wochenende (-n) *weekend*

wöchentlich *weekly*

woher? *where from?*

wohin? *where to?*

wohl: wann ist sie wohl wieder da? *when is she likely to be back?;* wir fühlen uns da so wohl *we're very happy there*

Wohl: zum Wohl!, zum Wohlsein! *cheers!*

der Wohnblock (-e) *block of flats*

wohnen *to live*

die Wohngegend (-en) *residential area*

die Wohnung (-en) *flat*

das Wohnzimmer (-) *living room*

wollen *to want to;* wollen wir . . . ? *shall we . . . ?;* wenn Sie noch einen Moment Platz nehmen wollen, bitte *If you'd like to take a seat for a moment, please*

das Wort (-er) *word*

der Wunsch (-e) *wish*

wünschen *to wish*

würde: dann würde ich vorschlagen *then I'd suggest*

würden: würden Sie . . . ? *would you . . . ?*

die Wurst (-e) *sausage*

das Wurstbrötchen (-) *bread roll with sausage*

das Würstchen (-) *sausage*

Y

der Yen (-)   *yen (Japanese currency)*

Z

zahlen   *to pay*
der Zahnarzt (¨e)   *dentist*
zehnmal   *ten times (ten of)*
der Zehnmarkschein (-e)   *10-mark note*
zeichnen   *to sketch, draw*
zeigen   *to show*
die Zeitung (-en)   *newspaper*
zeitweise   *temporarily, from time to time*
die Zelle (-n)   *(telephone) booth*
zentral   *central*
das Zentrum (-tren)   *centre*
zergehen   *to dissolve*
das Zettelchen (-)   *chit*
ziemlich   *fairly, rather*
die Zigarre (-n)   *cigar*
die Zigarette (-n)   *cigarette*
Der Zigeunerbaron   *The Gipsy Baron
   (operetta by Johann Strauss)*
das Zimmer (-)   *room*
der Zimmerausweis (-e)   *hotel registration
   card*
das Zimmermädchen (-)   *chambermaid*
die Zimmernummer (-n)   *room number*
zirka   *approximately*

der Zirkus (-se)   *circus*
die Zitrone (-n)   *lemon*
der Zoo (-s)   *zoo*
zu   *to, at, too, closed;*   zu Fuss   *on
   foot;*   zu Hause   *at home;*   wann ist
   es zu Ende?   *what time does it finish?*
ich möchte gern zu Herrn Doktor   *I'd like
   to see the doctor*
zubereiten   *to prepare;*   wer bereitet das
   Frühstück zu?   *who gets the
   breakfast?*
der Zug (¨e)   *train*
zum   *to the;*   zum Frühstück   *for
   breakfast*
zumachen   *to close;*   wann machen Sie
   zu?   *when do you close?*
zunächst   *first of all*
zur   *to the*
zurück   *back;*   hin und zurück   *there
   and back;*   4 DM zurück   *4 marks
   change*
zusammen   *together*
der Zusatz (¨e)   *additive*
der Zwangzigmarkschein (-e)   *20-mark note*
zweieinhalb   *two and a half*
zweimal   *twice (two of)*
zweite, zweiten, zweiter   *second*
zwischen   *between*